GRAND-MÈRE
ROSALIE

Livres de la même auteure

MAMAN YOUVILLE

Éditions Beauchemin 1959 — 3e édition

MA SOEUR EULALIE

Éditions Beauchemin 1960

MARRAINE MANCE

Éditions Beauchemin 1962

Avec l'autorisation de l'Ordinaire de Montréal, numéro 812, le 19 juin 1964.

PIA ROSEAU

GRAND-MÈRE
ROSALIE

Couverture de
CÉCILE CHABOT
de la Société royale du Canada

Dessins de
Soeur Sylvia Rondeau, s.m.,
Soeur Cécile Piché, s.m.
et
Marcel Desnoyers

Préface de
Monsieur l'abbé Pierre Hurteau, directeur
Société d'adoption et de protection
de l'enfance

1984
Beauchemin

À tous les
enfants qui n'ont
pas connu
leurs parents
et
qui ont trouvé l'amour
dans des foyers réels
grâce à la
charité
de

MÈRE ROSALIE JETTÉ

PRÉSENTATION

Offrir à l'admiration des jeunes de l'âge atomique la figure d'une grand-mère dont on célèbre cette année le centenaire de la mort, voilà un plaisant défi pour un auteur. Quel intérêt peut présenter cette «grand-mère Rosalie» aux jeunes de notre époque qui n'hésitent pas à ranger leurs parents dans la catégorie des «croulants» et leurs grands-parents dans celle des «sons et lumières»!

Et pourtant... la lecture de la vie de Rosalie Jetté a de quoi essouffler nos moins de vingt ans les plus entreprenants: mariée à 17 ans, devenue veuve à 38 ans avec six enfants, elle achève l'éducation de ces derniers, puis à 50 ans, commence une carrière nouvelle et bouleversante. Surmontant le mépris de son entourage et l'incompréhension des siens, elle entreprend de se dévouer au service des mères célibataires, le plus souvent rejetées par une société pharisaïque. Croulante «grand-mère Rosalie»? Ce n'est pas elle qui donne des signes de vieillissement, mais bien plutôt ses propres enfants: elle, est débordante d'audace, eux, sont écrasés par une prudence timorée, souvent mesquine; elle, fait face, sereine et sans peur aux affronts des «bien-pensants», eux, ne souhaitent pour elle que la sécurité douillette et confortable que recherchent d'habitude les vieillards.

Où donc cette femme puisait-elle sa force? Dans l'assurance que donne le prestige de la fortune ou du rang social? Pas du tout.

Grand-mère Rosalie, en digne fille spirituelle de ce géant de l'action charitable qu'était l'évêque de Montréal d'alors, Mgr Ignace Bourget, trouvait sa force en

Dieu, ce Dieu «qui renouvelle la jeunesse de ceux qui s'attachent à faire Sa volonté».

Cette femme du peuple, d'humble origine, n'avait rien d'une «bonne dame patronesse». Mûrie jeune par les responsabilités familiales, trempée par l'épreuve, elle était une mère avant tout, et c'est en mère qu'elle s'est penchée sur le sort des mères célibataires. Sans qu'on ait eu à le lui enseigner, elle avait compris que ces jeunes filles désorientées avaient besoin d'une affection maternelle plus encore que d'un gîte et de soins médicaux. Aussi, est-ce par le don d'elle-même qu'elle s'employa à ce qu'on appelle de nos jours leur réhabilitation. Aujourd'hui, comme au temps de grand-mère Rosalie, toutes les techniques savantes que cet art suppose restent impuissantes sans le don de soi, mais avec lui, elles autorisent tous les espoirs.

L'attitude de notre société vis-à-vis la mère célibataire et son enfant est faite de plus en plus de compréhension et de bienveillance, et l'on doit s'en réjouir. Il convient de rappeler, et c'est l'objet du présent ouvrage, que cette évolution est le résultat de l'action charitable de Rosalie Jetté et de tous ceux et celles qui, avec elle et à sa suite, ont été animés par le même Amour.

Grand-mère Rosalie reste, malgré les ans, une femme moderne et je souhaite que le lecteur découvre dans ces pages la recette de son étonnante jeunesse : la fidélité à l'Esprit.

Pierre Hurteau, prêtre, t.s.p.
directeur.

La Société d'adoption et de protection de l'enfance.

29 mai 1964

PRÉFACE

Un jour, dans le bureau du docteur Laroche, se présentent deux religieuses. Les jeunes sœurs silencieuses regardent modestement les meubles et les cadres qui décorent la pièce. Attirées par un tableau, elles se regardent, puis s'interrogent avec surprise.

— N'est-ce pas le portrait de notre Mère fondatrice?

— Le tableau ressemble grandement à celui du grand parloir.

— Comment expliquer pareille ressemblance?

— Nous allons le savoir bientôt.

Quand le médecin parut, les deux religieuses contemplaient le tableau avec étonnement.

— Je crois que le portrait vous intéresse.

— S'agit-il bien de Mère Jetté?

— Eh! oui, mes sœurs, vous êtes devant le portrait de votre fondatrice.

— Avez-vous connu Mère de la Nativité?

Le médecin fit un geste évasif et reprit:

— C'est une longue histoire. Je sais que les Sœurs de Miséricorde font ici un apostolat bien essentiel. Comme médecin, j'ai eu recours à leurs services. Et je collabore tant que je peux à l'œuvre des enfants nés hors mariage. La profession médicale m'a conduit vers vous et cela m'a permis de renouer connaissance avec une personne malheureusement trop oubliée.

— De qui voulez-vous parler, docteur?

— Je veux parler de votre fondatrice, que nous appelions chez nous, «grand-mère Rosalie».

— Était-elle votre parente?

— Exactement, elle était ma grand-mère. Je l'ai connue assez peu dans mon enfance, mais j'ai l'impression de découvrir sa personnalité dans ma vocation médicale et dans sa communauté.

— Vous devriez nous parler longuement de notre Mère.

— Ce serait long, mes chères Sœurs, mais je tâcherai de rassembler les souvenirs de ma famille et je vous raconterai ce que j'ai recueilli à son sujet.

Le docteur Zotique Laroche a-t-il laissé un récit sur la vie de Mère Jetté? Il ne le semble pas. Cependant, une amitié sincère unissait le médecin et les Sœurs de Miséricorde, les visites se faisaient discrètes et nombreuses entre la maison de la rue Visitation et l'hôpital de la rue Saint-André.

Aujourd'hui, nous voudrions raconter de nouveau les étapes d'une vie humble et chargée d'amour, afin d'éclairer la figure de Mère Jetté d'un reflet plus actuel.

1

*À Lavaltrie, humble naissance
et enfance paisible de celle qui
deviendra grand-mère Rosalie.*

Grand-mère Rosalie eut une enfance paisible et joyeuse. Elle était la fille aînée de parents qui l'entourèrent de tendresse et d'attentions. Elle naquit en plein hiver, le 27 janvier 1794, dans la paroisse de Lavaltrie.

La naissance d'un enfant dans un jeune foyer éveille des joies insoupçonnées. Le mystère est si grand qu'il renouvelle les individus et les élève vers Dieu. Dès le premier jour, on porta la petite à l'église, pour y recevoir le baptême. Fier de ses nouvelles responsabilités, le papa se sentait grandi. À mesure que se poursuivait la cérémonie, il constatait comment Dieu envahit et pénètre de sa grâce l'être humain.

Aux questions du curé, monsieur Cadron répondit avec contentement. Les noms de Marie et de Rosalie résonnaient sur ses lèvres comme le bruit d'une source. À la mère des croyants, il associait la mère de l'enfant. Dans le registre, on inscrivit ensuite les noms et profession des parents. Lui, Antoine Cadron dit Saint-Pierre, était le père du nouveau-né. Fermier dans ladite paroisse de Lavaltrie, il était à la fois bûcheron, défricheur, cultivateur et homme de tout métier. Dans ces

temps difficiles, il fallait compter sur la terre et l'ingé-
niosité de l'homme pour subsister. Malgré ses misères,
Antoine affichait le sourire d'un homme heureux.

La maman se nommait Rosalie Roy dite Desjardins.
Elle était une vaillante ménagère, adroite et laborieuse.
Antoine ne prononçait jamais sans émotion le nom de
Rosalie. Son épouse était mère. Une enfant allait bien-
tôt l'appeler maman; il ferait de même pour mieux la
respecter.

Le curé Louis Lamothe félicita son paroissien et il
lui dit: «Prenez bien soin de la petite, car elle semble
promise à de grandes choses.» D'ailleurs, il ajouta:
«Rosalie est un gentil prénom et cette petite fille deviendra sans doute une belle rose dans le parterre du bon
Dieu. Rappelez-vous aussi, mon cher Antoine, que vous
possédez le même patron que notre seigneurie. Vous
veillerez sur votre enfant, comme saint Antoine sur nos
habitants.»

Sur ces bonnes paroles, monsieur Cadron reprit le
chemin de la ferme. Dans la carriole, les parents emmi-
touflés veillaient sur le bébé, tandis qu'Antoine se voyait
prêt à braver toutes les intempéries. Le fleuve couvert
de glace dormait comme la terre sous la neige blanche.
Les grelots tintaient joyeux, alors que la cloche de
l'église épuisait ses derniers battements. Le curé par
politesse avait dit de belles choses, mais on ne sait jamais
ce que Dieu peut faire avec un enfant. Antoine fera
comme si la petite était appelée à une grande destinée.
Ainsi le Seigneur aura le champ libre pour opérer à sa
guise.

Le cheval se dirigea docilement vers le chemin qui
le rapprochait de l'étable. La maison dressait son pignon

Une humble naissance mais un foyer heureux...

gris, comme deux mains protectrices. La nouvelle maman s'empressa de baiser la petite baptisée et on eut soin de veiller au feu, pour éviter le froid à cette frêle enfant. Une vie nouvelle commençait pour le foyer Cadron. Les époux se voyaient réunis autour d'un berceau. L'image de la sainte Famille planait au-dessus de leur tête et le bonheur envahissait des cœurs élargis par l'amour.

La petite Rosalie s'éveillait à la vie, comme tous les enfants. Après les sourires et les caresses, elle quitta le ber pour faire ses premiers pas. À la fenêtre, le monde lui apparut avec ses couleurs et ses mouvements. Sur ses lèvres, les mots familiers susurraient comme une source. Autour de la maison Cadron, on vit bientôt une bambine jouer à la poupée et caqueter avec les volailles.

Rosalie avait plus de trois ans, quand ses parents lui présentèrent un nouveau bébé. C'était un petit garçon qui portait le prénom d'Antoine, comme son père. La fillette s'émerveillait à la vue du nouveau-né. Elle lui murmurait ou chantonnait des mots tendres et doux. Malheureusement l'enfant mourut prématurément, comme une fleur coupée. Les parents attristés reportèrent toute leur affection sur Rosalie. Chaque soir, en balbutiant ses prières, la fillette ajoutait spontanément le nom d'Antoine et elle s'endormait comme lui sur le cœur de Dieu.

À mesure que la raison s'éveillait, la piété grandissait dans l'âme de Rosalie. Avec les enfants de son âge, elle aimait à partager. Fille unique, elle n'avait pas cet instinct d'accaparement que l'on rencontre souvent chez les enfants de ce genre. Habituée à s'amuser seule, elle causait avec ses poupées, elle fredonnait les chansons familières et mémorisait les prières que l'on récitait en famille. Devant les enfants, elle manifestait une joie très vive. Pour amuser les autres, elle aurait donné ses meilleurs jouets.

À cette époque, l'école exerçait péniblement une pâle influence. Les villages ne groupaient pas le gros de la population, car les fermes s'alignaient le long du fleuve, pénétrant petit à petit les pentes et les vallées laurentiennes. Cet éparpillement ne favorisait guère l'enseignement. De plus, les autorités anglaises et protestantes du pays cherchaient plus à assimiler qu'à instruire les Canadiens.

Auprès de l'institutrice villageoise, Rosalie apprit les éléments de la formation primaire. Savoir lire et écrire formait un bagage suffisant pour délier l'esprit. Les travaux domestiques développaient ensuite les aptitudes naturelles. Très tôt, la jeune fille devait s'initier au tricot et au tissage, car la femme fabriquait de ses mains tous les vêtements de la famille.

Pour la formation religieuse, le curé veillait à préparer les enfants aux sacrements. Rosalie partait toujours avec entrain quand il s'agissait d'aller au catéchisme. On mémorisait en chœur les réponses du petit manuel et la doctrine se gravait dans l'esprit pour nourrir le cœur aux moments de la prière. Cette instruction rudimentaire produisait des fruits étonnants, car étant plus rare, elle était recueillie comme une chose précieuse. À la maison, la fillette repassait à haute voix ses leçons et les parents renouvelaient leurs connaissances. Les cantiques allégeaient les travaux, en égayant le foyer.

Le nouveau siècle s'était ouvert sans incident. On discutait parfois à la veillée avec les voisins sur les événements locaux ou lointains. En France, la révolution avait répandu le sang des rois et des prêtres. Le pape Pie VI était mort en exil, mais son successeur Pie VII laissait prévoir une paix nouvelle. Le général Bonaparte s'installait à Paris ; ce nouveau régime annonçait de nouvelles guerres. L'Angleterre avait un roi sans importance, mais elle possédait un ministre vigoureux en la personne de William Pitt. Les colonies américaines soutenues par la France avaient chassé les Anglais des États devenus indépendants. Les armées américaines avaient envahi le Canada, mais avaient subi l'échec devant Québec. Les Canadiens français avaient soutenu le gouverneur Carleton. Cependant, la majorité catholique subissait les vexations d'une minorité avide de gains et de pouvoir.

Les révolutions d'Europe pouvaient avoir leurs répercussions au Canada. Mais les paisibles habitants avaient assez de soucis et de besognes, pour ne pas s'inquiéter des problèmes lointains. Sur la ferme, il fallait trimer dur, du matin jusqu'au soir. Le soin des animaux en pâturage ou à l'étable exigeait une présence quotidienne. L'hiver, c'était la coupe du bois pour élargir la prairie ; au printemps, les semailles jusqu'au milieu des souches desséchées. Le potager réclamait aussi une attention particulière, car les légumes devaient être suffisants

Rosalie aimait les fleurs. Les roses surtout l'attiraient.

pour nourrir toute la maisonnée l'année durant. Avec des outils primitifs, on récoltait le grain pour le battre ensuite pendant les jours d'automne. L'entretien des bâtiments et des clôtures, des ruisseaux et des chemins, autant de travaux qui dépendaient des familles.

Monsieur Cadron ne négligeait pas ses obligations. Chaque année, le progrès de l'établissement se faisait plus sensible. Il regrettait la mort de son petit garçon, mais la santé de Rosalie le réjouissait. Pour le sourire de sa fillette, les journées n'étaient jamais trop rudes.

Vint le jour où Rosalie fit sa première communion; ce fut un moment de joie et de grâce. Partager la vie de Dieu, Rosalie soupçonnait ce que cela devait être. La petite écolière n'avait fait que cela: ses jeux, ses repas, ses vêtements mêmes ne lui tenaient plus à cœur, quand il s'agissait de partager. Les enfants les plus pauvres étaient ses meilleurs amis. Si Dieu donne jusqu'à sa vie, pourquoi ne pas tout donner? C'est dans cet esprit que la jeune Rosalie s'approcha de la sainte table. Pour la confirmation, la cérémonie attira toute la population environnante.

Monseigneur Joseph-Octave Plessis profitait de ces visites pour bénir ses diocésains. Son immense diocèse le forçait à des courses épuisantes, mais la bonté de son cœur s'épanchait toujours à la vue des jeunes confirmés. La population tenait son évêque en haute estime, car il défendait avec prestige les droits de l'Église au Canada.

De ses mains épiscopales, monseigneur Plessis avait répandu les dons du Saint-Esprit sur les jeunes adolescents. Puis il les exhortait à puiser en Dieu la lumière et la force nécessaires aux obligations de la vie. Au foyer Cadron, on félicita Rosalie d'avoir pu approcher le bon évêque et la petite en conserva un souvenir inoubliable.

Rosalie connut une nouvelle joie à cette époque. Une petite fille naquit en 1806, chez les Cadron. On la prénomma Sophie. Dès ce moment, on eut l'impression que Rosalie évoluait. Pour s'occuper du bébé, elle délaissa les amusements de son âge. Chez elle, la maturité se manifestait précoce, autant que le dévouement.

Pour parfaire les études de Rosalie, qui possédait un réel talent, monsieur Cadron décida d'envoyer la jeune fille au pensionnat. Malheureusement, l'expérience fut de courte durée. Rosalie aimait bien les sœurs de la Congrégation et le site du couvent à la Pointe-aux-Trembles, mais le fleuve ramenait son esprit à Lavaltrie. Monsieur Cadron s'aperçut de l'ennui qui minait la santé de la fillette et il la ramena au foyer. Auprès de ses parents et de la petite Sophie, Rosalie développa rapidement les qualités nécessaires à la vie domestique, tandis qu'elle attendait de Dieu les responsabilités futures.

2

Pour le meilleur et pour le pire, un nouveau foyer se crée.

MADEMOISELLE Rosalie fut bientôt une jeune fille accomplie. Habile aux travaux domestiques, elle manifestait un dévouement et une maturité remarquables. Dans le voisinage, on appréciait sa réserve et ses services. Envers sa petite sœur, elle avait des tendresses de mère. Les familles pauvres recevaient sa visite à l'occasion des surcharges saisonnières. En un mot, Rosalie était une femme rayonnante.

Parmi ses amis d'enfance, Jean-Marie Jetté avait toujours gardé une admiration secrète et profonde envers Rosalie. On le voyait assidu chez les Cadron. Les parents estimaient le jeune homme qui avouait simplement que Rosalie avait toujours été la rose de son cœur. Monsieur Cadron n'avait plus la même vigueur ; usé avant l'âge par les durs travaux, il souhaitait un garçon robuste et bon pour sa fille.

Le mariage eut lieu le sept octobre 1811. Rosalie n'avait pas encore ses dix-huit ans. Mais elle envisageait la vie avec courage et la petite église semblait trop étroite pour contenir la joie de son cœur. Les exemples qu'elle avait reçus la rendaient plus confiante en l'avenir. Aux yeux de son entourage, elle fut connue désormais et respectée sous le nom de madame Jetté.

La nouvelle situation n'allait pas bouleverser la vie de la jeune épouse. La maison paternelle demeurait le foyer du nouveau couple. N'ayant que deux filles, monsieur Cadron établissait son aînée comme il aurait établi son fils. Devant une santé chancelante, le père cédait volontiers son autorité à celle qui pouvait le mieux le remplacer.

Rapidement, le jeune ménage restaura la maison, les bâtiments et la ferme. On sentit un renouveau et une volonté de vivre sur la terre des Cadron. Bientôt, Rosalie annonça à sa mère qu'elle était enceinte. En 1812, elle donnait naissance à un garçon, qui reçut le prénom de son père : Jean-Marie. La jeune maman se montra si tendre et dévouée envers son bébé, qu'elle semblait aussi habile que les mamans d'expérience. La joie de Rosalie était au comble, quand elle plaçait son enfant dans les bras du grand-père. «Dieu est bien bon, disait-elle, vous avez perdu votre fils : Il vous en donne un autre.»

Monsieur Cadron était bien heureux de voir son domaine entre les mains expertes de Rosalie et de Jean-Marie. Cependant, la maladie s'insinuait progressivement et bientôt l'inquiétude visita le jeune foyer.

À cette époque, les événements politiques menaçaient de troubler la tranquillité de nos campagnes. Les États-Unis avaient déclaré la guerre à l'Angleterre et comme en 1775, le Canada s'attendait à l'invasion. Le gouverneur Prévost réussit à bloquer l'ennemi au lac Champlain. Cependant, l'année 1813 s'annonça plus menaçante. Deux armées américaines s'avançaient sur Montréal, quand le colonel Charles de Salaberry empêcha leur jonction à Châteauguay. Cet exploit prouvait la loyauté des Canadiens envers l'Angleterre. Ils en espéraient un grand soulagement.

Madame Rosalie vécut des heures d'angoisse durant ces temps troublés. Le travail routinier ne ralentissait pas, mais la prière se faisait plus intense. C'est durant cette année 1813, que s'éteignit Antoine Cadron. Il était âgé de soixante ans. Il avait prévu sa fin et s'était préparé chrétiennement au trépas. En quittant les siens, il laissait à son aînée le soin de veiller sur sa mère et sa jeune sœur. Rosalie pleura son cher papa et conserva toujours le souvenir de sa bonté.

Après cette épreuve, la jeune madame Jetté parut plus assurée et elle déploya avez zèle les nombreuses qualités maternelles qu'elle possédait. Elle venait de mettre au monde son deuxième enfant : une fille qu'elle nomma Marie-Rose.

●

À Lavaltrie, les époux Jetté jouissaient d'une enviable réputation. Honnête et laborieux, monsieur Jean-Marie travaillait de l'aube au crépuscule. Fidèle à la parole donnée, il entretenait des rapports amicaux avec son voisinage. Patient et soigneux envers les bêtes, il aimait la nature et considérait la Providence comme son associée dans ses travaux. Quant à madame Rosalie, malgré ses vingt ans, elle était vaillante et dévouée. En elle, son mari trouvait une conseillère avisée et une sage intendante. Envers ses enfants, elle était remplie de douceur et de délicatesse. Habile cuisinière et couturière, elle secondait admirablement le foyer en tout ce qui regardait la santé et le vêtement. La besogne ne manquait pas sur une ferme à cette époque, car la famille formait un petit monde qui devait se suffire à lui-même.

D'ailleurs, la famille Jetté s'annonçait nombreuse. Jean et Rose s'aventuraient autour de la maison sous les yeux de grand-mère Cadron. Dans la grande pièce qui servait de cuisine et de vivoir, le ber restait rarement vide. Tous les deux ans, un nouveau-né apparaissait aussi frêle et aussi blanc que les aînés. Ce fut tour à tour la naissance de Pierre, de François, de Léocadie et de Léonard. Toute cette marmaille ne manquait pas d'être bruyante. Mais la maman veillait avec tellement de soin sur les enfants, que la paix régnait à la maison. Ménagère accomplie, chaque chose était à sa place et chaque besogne s'accomplissait en son temps.

On estimait la famille Jetté pour son esprit chrétien. La charité régnait d'abord entre les personnes de la maisonnée. Les époux donnaient l'exemple de l'accord le plus parfait. En son mari, madame Rosalie trouvait sécurité et compréhension. Cet homme simple et courageux plaçait sa confiance en la Divine Providence. Jamais, on ne l'entendait maugréer contre le sort. Paternel jusqu'à la tendresse envers ses enfants, il réservait pour eux son plus beau sourire et ses plus belles surprises.

Dès l'âge des premières paroles, les petits s'alignaient auprès des aînés pour la prière du soir. Madame Rosalie avait un don particulier pour parler du bon Dieu aux enfants. Elle ne se contentait pas d'enseigner seulement à ses propres enfants, mais elle groupait tous ceux du voisinage. Ses leçons de catéchisme étaient simples et les exemples qu'elle choisissait étaient pleins de lumière pour les jeunes intelligences. En effet, madame Jetté possédait le don d'animer un récit et les enfants l'écoutaient, comme un vieux conteur. Elle savait aussi amuser les jeunes, en organisant leurs jeux et leurs loisirs.

Les dimanches d'été, au bord du fleuve, prenaient une allure de fête. L'attrait de la pêche, de la chaloupe et de la grève réjouissait les enfants. Ils en revenaient fourbus de courses et brunis de soleil. Ces journées inoubliables restèrent fixées à jamais dans la mémoire des enfants qui, plus tard, se les rappelaient comme une image de bonheur.

Le foyer des Jetté était aussi le refuge des malheureux. Combien de fois la porte ne s'ouvrit-elle pas, pour accueillir un voyageur ou un mendiant. On recevait le pauvre comme un ami, car le Christ a paru parmi les hommes sous les traits d'un pauvre. Un jour, madame Jetté retirait du four des pains tout chauds et dorés. Un vieillard se présente, demandant la charité. La maman n'hésite pas et lui tend le plus beau et le plus croustillant. Ce geste généreux s'accompagnait d'un sourire si bienfaisant que le mendiant s'en retourna heureux et comblé.

Douée d'une charité active et prévenante, madame Rosalie accourait auprès des familles éprouvées. Pour une naissance ou un deuil, pour une maladie ou une corvée, on la voyait paraître comme un réconfort. Avec elle, les bambins trouvaient une mère, les malades une espérance et les mourants une vision bienheureuse. Son sens de l'ordre et de l'organisation la rendait apte à diriger des travaux multiples et variés. Souvent, elle passait des nuits à veiller les agonisants. Partout, sa présence apportait détente et espérance.

Le curé de Lavaltrie avait remarqué les vertus de sa paroissienne. Il admirait son zèle et sa charité. Il comptait sur elle en maintes occasions et il rencontrait toujours un dévouement égal. La seigneuresse de La Naudière l'honorait de son amitié. Dans leurs visites, les deux dames s'entretenaient avec plaisir des bontés de Dieu et des besoins des pauvres. Par toute la localité, on tenait madame Rosalie en haute estime. À l'église, on admirait sa piété et on sentait qu'elle puisait en la divinité la source de son dévouement.

Quelques exemples suffiront à démontrer l'ampleur de sa charité. Ses enfants gardèrent longtemps à la mémoire le souvenir de l'accueil que réservait maman Rosalie aux mendiants et aux voyageurs. Le pauvre prenait place à la table de famille. Madame Jetté ne regardait pas aux inconvénients, quand il s'agissait de l'hospitalité. Elle recevait parfois des familles entières que les circonstances déplaçaient. On raconte qu'elle logea, durant plusieurs jours, une famille indienne que la famine avait conduite jusque-là. Une charité aussi vaste n'était pas sans amener quelques inconvénients. Madame Rosalie faisait taire toutes les inquiétudes par sa confiance illimitée en la Providence.

Un trait parmi tant d'autres mérite une mention particulière, car il révèle le futur apostolat de madame Jetté. Pendant quelques mois, on lui confia le soin d'un nouveau-né que les parents menaçaient d'abandonner. Elle lui prodigua toute la tendresse nécessaire. Elle s'attacha tellement à cette fillette sans parents, qu'elle pleura sincèrement lorsque vint le temps de s'en séparer. Avec son mari, elle conduisit l'enfant chez les Sœurs Grises de Montréal et quelques semaines plus tard, madame Jetté donnait le même prénom de Léocadie à sa propre fillette, en souvenir de la chère abandonnée.

3

Mais voici que surgissent malheurs et déceptions. C'est le grand dérangement. La ville devient une école de misère.

La famille Jetté semblait promise à un avenir paisible et sans heurts. Les six enfants grandissaient heureux autour de leurs parents et rien ne laissait prévoir un changement de situation. Cependant, le problème d'une famille nombreuse tracasse souvent les esprits. La terre de Lavaltrie était-elle trop petite pour les quatre garçons? L'avenir serait-il plus propice dans une nouvelle région?

En 1822, monsieur Jetté vend sa terre. Le nouveau propriétaire avait deux ans pour payer avant d'entrer en possession du bien. Durant ce temps, les événements n'étaient pas toujours heureux. Les inquiétudes minaient le courage de madame Rosalie. Après le mariage de sa sœur Sophie, la besogne se fit plus lourde. La naissance d'un petit garçon chétif qui mourut après quelques heures de vie fut pour elle un choc bien amer. C'était la première fois qu'elle perdait un enfant. On avait pris soin d'ondoyer le nouveau-né, mais madame Rosalie se consolait difficilement de ce deuil.

Petit à petit, on prépara le déménagement. On accumule bien des choses sur une ferme et il faut trier linge et ustensiles selon la nécessité. Au printemps de 1825, la famille Jetté quittait Lavaltrie pour ne plus revenir. Comme une caravane, les voitures chargées de ménage prennent la route. Sur le traversier, le village s'éloigne et ce n'est pas sans regret que les Jetté voient le fleuve emporter le flot des souvenirs passés.

Pour les enfants, le déménagement prend figure d'aventure pittoresque. Ils n'en finissent plus de regarder et de bouger. On s'arrête sur les bords du Richelieu, où il faut reprendre le bac avec précautions et efforts multiples. On longe péniblement le mont Saint-Hilaire, pour atteindre enfin La Présentation. C'est dans cette paroisse que la famille Jetté vient s'établir.

Une première déception attendait la famille harassée par le voyage. La maison qu'on devait occuper n'était pas en état de recevoir les nouveaux occupants. Des réparations nombreuses étaient en cours et il fallut se retirer vers les bâtiments de la ferme pour passer la nuit. Madame Rosalie alla aussitôt demander l'hospitalité à sa sœur Sophie, pour ses enfants. Malheureusement, elle essuya un refus qui fut très pénible à son cœur sensible. Devant son désarroi, des voisins charitables recueillirent la famille désemparée. Pendant que se poursuivait l'aménagement de la maison, monsieur Jetté dut se mettre immédiatement à la tâche. Il fallait labourer les champs et semer au plus tôt pour assurer une récolte. Les bâtiments et l'étable sortaient plus gris de l'hiver. Devant les travaux immenses qui s'annonçaient, on regrettait la joyeuse ferme de Lavaltrie.

Durant cette période mouvementée, madame Jetté mit au monde une fillette que l'on surnomma Hedwige. Malgré les bons soins, la petite manquait de vigueur. Le

Un foyer droit, honnête, rayonnant.

courage et le labeur semblaient produire des fruits paisibles. La première récolte paraissait suffisante, mais l'épreuve du dérangement allait se révéler dans toute sa cruauté.

Honnête et confiant, monsieur Jetté avait échangé son bien pour le nouvel établissement de La Présentation. Les engagements furent-ils signés en bonne et due forme? La naïveté de l'un servit-elle la ruse de l'autre? Toujours est-il que la vérité éclata au grand jour. La terre échangée était grevée d'hypothèques écrasantes et les créanciers demandaient leur remboursement. Monsieur Jetté fut atterré de la nouvelle. Il n'aurait jamais cru qu'on puisse être malhonnête dans une transaction, alors que la parole donnée lui apparaissait comme engagement sacré. Le choc fut terrible pour cet homme bon qui perdit l'appétit et le sommeil. Il dépérissait au point que cela faisait peine à voir. Il ne pouvait s'imaginer que le bien familial transmis par les Cadron lui échappait à la suite d'un échange malhonnête.

Madame Rosalie consola son mari le mieux possible. Elle le félicitait de son intégrité, elle l'assurait de son affection et lui dévoilait les voies inconnues de la Providence. Elle redressa tellement son courage qu'elle obtint de lui le pardon complet et l'abandon de toute poursuite judiciaire envers le vendeur malhonnête. Les dignes époux plièrent l'échine devant l'épreuve et résolurent de remettre la terre aux créanciers.

On quitta donc la paroisse de La Présentation pour la ville de Montréal. Dépouillés de leur terre, les époux Jetté partirent le cœur rempli de confiance envers le Père Céleste qui prend soin de tous ses enfants de la terre.

LA famille Jetté quitte sans regret la ferme des malheurs, pour prendre comme tant d'autres le chemin de la ville. Ce nouveau déplacement ressemble à un voyage vers l'inconnu. Ces paisibles ruraux ne connaissent rien à la mentalité urbaine. Après seize ans de mariage, les époux Jetté recommencent une vie à zéro.

À la ville, on a l'impression d'étouffer. Les maisons serrées les unes contre les autres semblent sans figure et sans nom. Les pièces du logis n'ont pas l'ampleur à laquelle on était habitué. La rue charrie les bruits et les odeurs du quartier. Les enfants se sentent à l'étroit dans leur chambre et la cuisine empêche les ébats coutumiers.

Mme Jetté établit aussitôt un budget sévère et encourage son mari dans sa nouvelle situation. En effet, monsieur Jetté doit désormais s'adapter aux conditions de l'ouvrier. Travailleur adroit et consciencieux, il se fait rapidement remarquer par ses employeurs. Le salaire régulier assure la sécurité des citadins, mais le chômage et la maladie entraînent aussitôt des inconvénients graves. Les époux Jetté ne manquent pas de prévoyance ; cependant, la brusque transplantation en milieu urbain ne va pas sans inquiétude.

Malgré ses désavantages, la ville offre, par ailleurs, des côtés intéressants. Madame Jetté est heureuse de voir l'église à quelques pas. À l'école, les enfants retrouvent des classes mieux organisées et des programmes plus avancés. Dans le voisinage, on rencontre des gens simples qui se sont déjà adaptés à la mentalité de la ville. Des parents de monsieur Jetté se montrent sympathiques et serviables envers les nouveaux venus.

Chez les Jetté, le choc des déplacements s'accompagne de deuils successifs. La santé des parents a sans doute été affectée par les durs événements. En cette même année 1827, un nouveau-né fait son apparition au foyer. Cependant, le petit Antoine meurt un mois après sa naissance. Peu après, la petite Hedwige, qui venait d'atteindre ses deux ans, trépasse à son tour. La mort de ces deux enfants attache définitivement la famille Jetté à la ville de Montréal.

Peu à peu, on s'accoutume à la vie des citadins. Les enfants grandissent rapidement et puisque les garçons commencent jeunes à travailler, l'espoir renaît dans les cœurs. Les paroles de madame Rosalie portent fruit. Dans sa misère, elle réconfortait son mari en excitant sa confiance en la Providence. «Tu vois, disait-elle, que le bon Dieu ne nous délaisse pas. Soyons contents de notre pauvreté. Nous avons de bons enfants qui peuvent gagner leur vie, jeunes. Ils seront toujours à l'abri du besoin, car ils savent travailler.»

Madame Rosalie veillait avec une attention particulière sur ses enfants. Les événements lui servaient de prétextes à réflexion et à leçon. «Mes enfants, disait-elle, le bien que Dieu nous donne n'est pas à nous. Il nous l'ôte, quand Il lui plaît. Soyons donc heureux de tout ce qui nous arrive et sachons remercier Dieu: c'est le secret du bonheur.»

La bonté de madame Rosalie fut vite remarquée. Elle ne refusait jamais un service demandé et ses conversa-

Sur le traversier, le déménagement semblait une aventure pittoresque.

tions revenaient souvent sur le sujet favori de toutes les mamans : l'éducation des enfants. Bientôt, une réputation de respect entoura la famille Jetté.

Dès qu'elle avait une heure de loisir, madame Rosalie s'en allait à l'église. Elle y priait avec une ferveur peu commune et elle cherchait instamment à mieux conformer sa vie à la volonté divine. En effet, les questions surgissaient à son esprit et les réponses demeuraient inexplicables. Pourquoi cet échange de terre? Pourquoi cette ruine et cette incertitude? En attendant, les événements guidaient imperceptiblement cette femme forte dans les voies de Dieu.

Dans une ville, les problèmes sont multiples et les misères fort grandes. Il y a les malades, petits et grands, qu'il faut visiter. Il y a les violents et les légers qui causent des peines et des dégâts. Madame Rosalie encourage tous les éprouvés et sa parole devient une consolation et un remède pour les affligés. En toute occasion, on réclame la serviabilité et les conseils de madame Jetté.

Un soir, on frappe à la porte du foyer. Les cris sont plaintifs et la voix fébrile. Sur les instances de madame Rosalie, monsieur Jetté ouvre la porte. Une jeune fille épouvantée se lance dans la pièce. À travers ses paroles haletantes, on devine vite que la malheureuse est pourchassée. Aussitôt, des poings furieux s'abattent sur la porte sonore. Rapidement, on pousse la jeune fille sous la trappe de la cave et on replace le tapis. Avec crainte, monsieur Jetté ouvre la porte aux visiteurs acharnés et leur montre la cuisine déserte. La hache à la main, les deux hommes s'apaisent et s'excusent du trouble causé. La jeune fille, alors sauvée du danger, avoue à madame Rosalie son imprudente audace et la remercie de sa bienveillance. Quelques heures plus tard, elle reprend le chemin de son logis, résolue à refaire une vie meilleure.

Cet incident sera-t-il un indice de la volonté de Dieu ? L'avenir allait révéler plus clairement la destinée apostolique de madame Jetté.

4

Dans le deuil et les tristesses, se précise et s'approfondit la destinée apostolique de Rosalie Jetté.

En 1832, madame Jetté voit ses enfants grandis. L'aîné, qui a vingt ans, est déjà un rude travailleur et Marie-Rose est devenue une jeune fille accomplie. La pauvre maman pressent qu'ils partiront bientôt vers leur destinée. L'aisance ne vient pas frapper à la porte, comme un bienfaiteur inconnu, mais la constance dans l'effort forge des caractères solides et des bâtisseurs de bonheur.

De seize à dix ans, Pierre et François, Léocadie et Léonard forment deux couples inséparables. Quand les garçons et les filles atteignent l'âge adulte ou l'adolescence, les problèmes deviennent plus délicats et l'influence maternelle se fait plus discrète. Madame Rosalie constate avec tristesse que la maison ne s'élargit pas au rythme de la croissance. Cependant, les grands enfants entourent avec respect leurs parents. Cette consolation réconforte surtout la maman qui met au monde une dernière fillette. À cause du décès des deux précédents, on la prénomme encore Hedwige. Léocadie surtout se réjouit de pouvoir jouer à la mère avec un véritable bébé.

À cette époque, une épreuve très lourde vient fondre comme un orage sur la famille Jetté. Chaque année, le pays recevait plusieurs milliers d'émigrants qui se répandaient surtout dans le Haut-Canada. Faute de précautions hygiéniques, le choléra apparut avec une violence extrême. À Montréal, on compta près de deux mille morts.

Le 13 juin, monsieur Jetté se sent mal. Le fléau envahit ses membres et la fièvre le consume jusqu'au délire. Voyant la fin venir si brusquement, monsieur Jean-Marie bénit ses enfants et la main de Dieu qui conduit toutes choses. À son fils Pierre, il adresse une recommandation particulière : « Je compte sur toi, dit-il, tu seras le soutien de la famille. Promets-moi d'assister toujours ta mère et de ne jamais l'abandonner. » Le grand garçon promit de tout son cœur, pendant que le père disait adieu à sa chère épouse. Le lendemain, monsieur Jetté était mort, emporté par l'épidémie.

Les événements s'étaient précipités si rapidement, que les esprits demeurèrent interdits. On se regardait silencieux et hagards. Le père était parti et on n'osait pas y croire.

Au milieu de ses grands enfants, maman Rosalie semblait plus petite. Auprès du berceau, elle reprend son allure maternelle, mais son cœur se serre à la vue d'un bébé déjà orphelin. Le deuil du foyer assombrit longtemps les traits de chacun, surtout quand l'épidémie gronde aux alentours. Des familles entières quittent la ville pour fuir le fléau, car la population dense propage plus facilement la contagion.

Après quelques semaines, le mal s'apaise et l'on respire plus aisément. Les familles décimées pleurent les disparus et l'on se remet à vivre plus allègrement, mais aussi plus prudemment. Puisque le bébé retient maman Rosalie à la maison, celle-ci en profite pour mieux prier. Toujours fixée sur la Providence, son cœur interroge sans relâche et comprend la douleur. La croix renferme tellement de leçons, que la pauvre veuve y trouve un enseignement riche et profond.

L'année suivante, mademoiselle Rose annonce son mariage. Maman Rosalie s'attendait à cette déclaration. Elle connaît trop bien sa fille, pour ne pas apprécier la sagesse et le courage de sa décision. Romuald Thomas est un garçon sérieux et travailleur ; il fera un bon mari à sa chère Rose. Le jeune couple s'installe dans les environs et la jeune dame Thomas continue d'entourer sa mère de toute l'affection qu'elle mérite.

Après la mort de son mari, madame Jetté avait déclaré : « Le monde ne sera plus rien pour moi. » Ces paroles exprimaient le fond de sa pensée. En effet, son cœur sembla brisé et elle courait vers toutes les misères. Une soif intense de se dépenser l'animait. Dépouillée de toute attache, elle se donnait aux malheureux, comme à ses propres enfants. Sans le prévoir, elle cultivait une charité très vive, que Dieu saisirait et orienterait, le temps venu.

LE dimanche, la veuve Jetté allait prier sur la tombe de son mari. Le grand Pierre ou Léocadie l'accompagnaient volontiers. Le vide creusé dans son esprit élargissait son cœur. Par l'épreuve, elle se sentait liée à tous les malheureux. Une sorte de fraternité s'établissait immédiatement entre son cœur et la souffrance. Un élan spontané surgissait de son être, embrassant toutes les misères.

Au foyer, madame Rosalie dirigeait les enfants avec sagesse. Elle veillait à ce que les garçons ne se laissent pas entraîner à la violence. Le temps était alors propice aux mouvements populaires. Les Fils de la Liberté organisaient des réunions patriotiques qui dégénéraient parfois en batailles rangées entre Anglais et Français. Il faut dire que le sort de l'État résidait entre les mains d'une poignée d'exploiteurs qui se moquaient des députés élus par le peuple. Le nom de Papineau était sur toutes les lèvres et on s'attroupait avec enthousiasme, pour entendre ses paroles. Les Jetté n'ignoraient pas les agitations de la ville, mais ils réservaient leurs efforts à des tâches plus positives.

À la maison, la maman Cadron souffre de paralysie depuis quelques années. Cependant, madame Rosalie lui prodigue toujours les soins les plus constants. Cette présence n'est pas sans inconvénient, dans un logis de ville. Pourtant les enfants s'accommodent de la situation et rendent à leur grand-mère les services qu'ils ont reçus d'elle durant leur enfance.

En 1835, ce sont les noces de Jean-Marie. L'aîné a vingt-trois ans : il se préparait au mariage, lorsque son père mourut. Avant sa mort. celui-ci confia son épouse à la sollicitude de Pierre. Tout heureux et confiant, Jean-Marie pouvait épouser Marguerite Galland. Maman Rosalie voyait partir son grand Jean, qui lui rappelait tellement son mari. Elle assisterait seule au départ de ses enfants, mais l'amour qu'elle leur portait les accompagnait sans cesse.

L'année suivante, la petite Hedwige mourut. Décidément, ce prénom n'était pas favorable. La petite rappelait encore par sa présence que madame Jetté n'était pas une vieille femme. Ce nouveau départ la vit grisonner. D'ailleurs, elle était déjà grand-mère et elle chérissait ses petits-enfants. Madame Rose Thomas était heureuse d'amener son petit couple de bambins, pour réjouir le cœur de sa mère et s'entretenir avec elle. La fille aînée fut toujours très liée à sa mère et elle lui témoigna toujours une admiration fidèle.

Madame Jetté professait un grand culte de la famille. On la voit inséparable de sa mère malade. Quand sa sœur, jadis insensible à son dérangement, lui demande l'hospitalité, elle n'hésite pas à la recueillir chez elle. Durant trois hivers, elle supporte les incommodités d'une autre famille, au milieu de la sienne. L'étroitesse du logis, les âges et les manières différentes des enfants créent des tensions qu'elle calme avec douceur. Le caractère de sa sœur ne répond pas aux bontés qu'elle reçoit, mais Rosalie s'attache à la charité.

Prête spirituellement, la bonne dame Cadron mourut. La paralysie avait gagné tous les membres et requérait des soins de tous les instants. Ce nouveau deuil libérait Rosalie de tâches astreignantes. Elle en profite pour organiser sa vie en heures de prière et en œuvres de charité.

Les troubles politiques avaient semé le désarroi dans les esprits. Montréal subissait les contrecoups des batailles de Saint-Charles et de Saint-Denis. Le général Colborne avait écrasé les Patriotes à Saint-Eustache et brûlé les bâtiments des environs. Bien des familles de la ville recevaient des parents ruinés, d'autres se sentaient traquées par les militaires. La prison débordait de citoyens suspects au régime. La population vivait dans l'angoisse.

Madame Jetté se félicitait d'avoir exhorté ses garçons à la prudence. Mais elle courait volontiers auprès des foyers éprouvés. Il fallait souvent accorder le fils avec le père, les enfants avec les parents ou les époux entre eux. La bonne veuve avait les mots qu'il fallait pour toucher les esprits et les cœurs. On la voyait frapper de porte en porte, plaidant la cause des orphelins de la guerre ou de l'épidémie. Elle réussit ainsi à placer plusieurs enfants dans des foyers charitables.

Auprès des malades et des mourants, elle accourait comme une infirmière bénévole. On raconte qu'elle affronta un moribond que sa femme et ses enfants n'osaient approcher. Des épreuves cruelles avaient égaré le pauvre homme qui se croyait damné. Madame Jetté répandit de l'eau bénite autour du déchaîné et poursuivit la série de ses prières sans interruption. Peu à peu, le malade s'apaisa et s'endormit dans la paix du Seigneur.

On n'en finirait plus d'énumérer les démarches charitables de la bonne veuve. Elle parcourait les chantiers de construction pour chercher de l'ouvrage aux travailleurs sans emploi. Elle était de toutes les corvées et son dévouement ne connaissait aucune limite. Durant les épidémies de choléra et de typhus, elle se dépensa sans compter au soin des victimes. Le bien qu'elle accom-

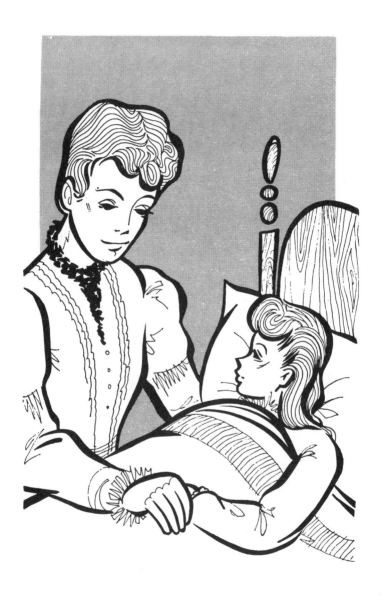

Madame Jetté allait voir les malades et les réconforter.

plit alors fut incalculable, car elle veillait à la paix de l'âme autant qu'à la santé. Son exemple entraînait les plus endurcis et sa bonté éveillait les plus belles espérances. Quand les malades mouraient, elle s'occupait de les faire ensevelir chrétiennement et surtout il fallait aider la famille du défunt. Les orphelins étaient nombreux et des fillettes devaient se charger de leur foyer dévasté. Madame Jetté se dépensa sans compter pour restaurer les familles brisées par le fléau.

Durant une épidémie, madame Jetté remarqua un jeune homme, fort, robuste, qui se dévouait pour les malades. Fier de sa santé et de ses muscles, il ne redoutait aucun danger. Grandi dans l'ignorance, il ne craignait ni Dieu ni diable. La bonne veuve vanta son dévouement et lui apprit l'Ave Maria. Malgré ses faiblesses, il promit de réciter sa prière chaque jour. Deux ans plus tard, un malheureux se présente à la porte de madame Jetté. Malade et décharné, le grand visiteur se nomme et lui rappelle ses paroles passées. Il est méconnaissable. Parti vers les Rocheuses, il a tenté l'aventure sous toutes ses formes. Il revient vers la pauvre veuve qui lui a enseigné l'amour de Dieu. Celle-ci l'accueille avec pitié et le conduit à l'hôpital, où il meurt en implorant la miséricorde du Créateur. Cet exemple montre avec quelle ardeur contagieuse madame Jetté savait parler de l'amour de Dieu.

Pour alimenter sa charité, elle allait puiser aux sources vives de la grâce. Le matin, elle assistait pieusement à la messe et le soir elle prolongeait sa prière jusqu'à la fermeture de l'église. Toutes les personnes qu'elle secourait passaient dans son oraison, comme les grains du chapelet entre ses doigts. Dans ses supplications, elle faufilait les misères et les besoins de son entourage. Assoiffée de vie et d'amour, elle se désaltérait aux sources vives de la divinité.

5

Dans une vision de surnaturelle audace, monseigneur Bourget fait appel à madame Jetté.

Les quatre grands enfants de madame Jetté se marièrent successivement. En 1839, François épousait Henriette Castagnier, Léocadie s'alliait à Pierre Laroche en 1842, puis Léonard à Anastasie Tourville, l'année suivante. Quant à Pierre, il avait veillé à ce que chacun fut marié pour songer, à son tour, à prendre femme. Il épousa sa Geneviève Paul tout en assurant la sécurité de sa mère.

En l'espace de cinq ans, le foyer Jetté était dispersé. Les plus jeunes étaient morts en bas âge et les six aînés déjà mariés. La pauvre femme se sentait alors dégagée des responsabilités familiales. Son cœur portait encore les soucis de chacun, mais elle n'avait plus qu'à prier pour accorder lumière et force à ceux qu'elle avait conduits jusqu'à leur taille adulte.

La bonne veuve approchait de la cinquantaine. Elle sentait plus lourdement le fardeau des ans et des travaux passés. Pourtant, il suffisait d'une démarche charitable à accomplir, pour la voir reprendre son allure alerte et empressée.

Durant ce temps, la région de Montréal était érigée en diocèse. Monseigneur Lartigue en fut le premier évêque et il fut estimé de la population. Sur le plan civil et politique, des changements s'opérèrent. On inaugura le régime de l'Union qui groupait le Bas et le Haut-Canada en une seule chambre d'Assemblée. Les injustices de cette constitution blessaient profondément les Canadiens français, mais Lafontaine se fit le défenseur des siens avec adresse et grandeur d'âme. À Mont&éréal, le progrès était manifeste en bien des secteurs. Le port regorgeait d'activité durant l'été. Le canal Lachine ouvrait ses écluses au grain des Prairies et le chemin de fer faisait ses premières randonnées tapageuses. Devant l'accroissement de la population et le développement du commerce et de l'industrie, il fallait créer des institutions nouvelles pour préparer la génération aux tâches de l'avenir.

Madame Jetté ne se préoccupait guère des problèmes d'ensemble. Son horizon se bornait aux alentours de sa maison. En toute occasion, elle cherchait avant tout le soulagement de ses semblables. Au lieu de se replier sur elle-même ou sur ses enfants, elle se chargeait volontiers de la misère d'autrui. Pour l'aider dans sa vie spirituelle, elle consultait un prêtre très zélé qui se nommait l'abbé Ignace Bourget. Elle trouvait en lui un caractère ardent et apostolique. Dans sa piété personnelle, madame Jetté s'attachait aux vérités essentielles, mais elle en goûtait toute la saveur qu'elle traduisait en paroles fort simples et convaincantes.

Madame Rosalie fut très étonnée et réjouie d'apprendre en 1837 que l'évêque de Montréal venait d'obtenir

un coadjuteur qui était nul autre que monseigneur Bourget. Cette nomination allait donner une impulsion vigou-
reuse, non seulement au diocèse, mais à toute l'Église
du Canada.

Pour appuyer surnaturellement son ancien directeur
spirituel, madame Jetté se livra à une piété intense. Elle
sentait la responsabilité du laïc qui doit soutenir de sa
prière et de son dévouement les initiatives de la hiérar-
chie. À l'église, elle passait chaque jour de longues heures en oraison. Quand elle demeurait à la maison, elle
travaillait pour les pauvres de l'entourage. Jamais elle
ne visitait un foyer sans laisser un morceau de linge aux
enfants ou quelque nourriture pour la table de famille.
Les portes s'ouvraient à son passage, comme des cœurs
s'ouvrent à la charité.

Il fallait aussi beaucoup de courage et d'audace pour
s'occuper des filles en difficulté. Un soir, la bonne veuve
rencontre sous le porche de l'église une malheureuse
qui pleure, en grelottant. Devant les questions pressantes, elle avoue qu'elle est sans logis et ne sait où passer
la nuit. Madame Jetté l'emmène chez elle et l'héberge
durant un mois. Le regard perdu de la pauvre désaxée
inquiète madame Thomas qui conseille à sa mère d'être
prudente. En effet, la névrosée se lève durant la nuit
et rôde autour du lit de sa bienfaitrice avec des gestes
menaçants. On décide alors de se séparer, en confiant
la malade aux soins d'un médecin. Les enfants mariés
ne voyaient pas d'un bon œil les audaces charitables
de leur mère. Ils l'exhortaient constamment à se ména-
ger et à vivre dans la tranquillité.

Ce genre d'apostolat ne va pas sans risque, mais la

charité vient à bout de tout. C'était la conviction de madame Rosalie. Elle ne s'attendait pas, d'ailleurs, à des succès continuels. L'échec, à ses yeux, était une invitation au recommencement. Un jour, en compagnie de deux voisines, elle aperçoit deux filles aux vêtements déchirés et aux bras ensanglantés. Aussitôt, madame Jetté s'élance à leur rencontre. Oubliant les injures et les blasphèmes qu'on lui adresse, elle les supplie avec bonté de quitter ce vagabondage. Blessée à la suite d'une querelle avec un homme passionné, la plus jeune se confie à la veuve qui n'a pas craint de les aborder. «Je suis bien malheureuse, dit-elle. Depuis que je mène ce genre de vie, je veux y renoncer. Hélas, il ne nous reste plus que le mépris.» Ardente et persuasive, madame Jetté encourage les filles à changer de conduite et les presse de se confesser à un prêtre compréhensif. Le lendemain, elles accomplissaient leur promesse, soulagées de leur misère et confiantes en l'avenir.

Monseigneur Bourget connaissait donc depuis long-temps le zèle de la veuve Jetté. Il n'hésitait pas à faire appel à son tact et à son dévouement dans des problèmes délicats. Quand des parents venaient exposer à l'évêché les aventures de leur jeune fille, ils recevaient toujours le même accueil et repartaient confiants. C'est que, alors, l'évêque prévenait madame Jetté. Discrètement, elle allait rencontrer la jeune désemparée et l'amenait à sa maison. Durant des semaines, elle veillait au réconfort de la future maman esseulée. Elle se faisait joyeuse pour égayer sa pensionnaire. Elle pacifiait les parents et préparait les esprits à la charité compréhensive.

«Dieu le veut, ma fille» lui dit monseigneur Bourget.

Il fallait parfois recourir aux services de foyers hospitaliers, lorsque les jeunes filles se faisaient nombreuses ou que la situation sociale réclamait une plus stricte discrétion. Madame Jetté allait frapper à la porte, chez sa fille, madame Thomas. Celle-ci n'osait jamais refuser les suppliques d'une mère si charitable et elle accueillait les jeunes filles avec sympathie. Parfois, elle s'adressait à ses autres enfants mariés et les réponses correspondaient à ses désirs. L'exemple de la pauvre veuve entraînait les cœurs à des largesses insoupçonnées.

Monseigneur Bourget se réjouissait de voir une femme si dévouée. Un jour, il lui demande de prier spécialement pour un projet qu'il caresse depuis longtemps.

Madame Jetté n'hésite pas à prolonger ses oraisons pour soutenir les désirs de son évêque. Pour elle, une intention de la sorte devient une invitation de la Providence. Elle ignore les secrets de son évêque, mais elle sait que Dieu parle par sa bouche. Alors, elle multiplie ses prières et ses pénitences pour éclairer le pasteur du diocèse.

Aux oreilles de l'évêque, parviennent régulièrement des récits tragiques. On trouve des nouveau-nés abandonnés sur les flots ou à la voirie. Des enfants grandissent sans le support familial et dans l'ignorance religieuse. Des jeunes filles, honteuses d'une maternité imprévue, tombent dans le découragement. Des adolescentes et des adolescents, victimes de la division des parents, s'égarent dans des excès regrettables.

Qui viendra au secours de ces malheureux? La charité individuelle ne peut apporter qu'un faible soulagement à tous ces maux. Il faut une œuvre stable pour répondre à ces besoins.

Dans les circonstances difficiles, Monseigneur se recommandait à la Vierge Marie envers laquelle il professait une dévotion intense. Il fit part de ses intentions aux membres de l'archiconfrérie du très saint et immaculé cœur de Marie qui consacraient leurs prières et leurs sacrifices à la conversion des pécheurs. Dès la fondation de cette pieuse association en 1841, madame Jetté s'était inscrite parmi ses membres. D'ailleurs elle aimait la sainte Vierge d'un amour de prédilection. Son chapelet ne la quittait jamais et elle confiait toutes ses protégées à la Mère des Miséricordes. Durant le mois de Marie, elle suivait les exercices à l'église-cathédrale ou à la chapelle Bonsecours.

Chaque été, on organisait des pèlerinages au mont Saint-Hilaire. Madame Jetté se mêlait aux marcheurs et elle escaladait la montagne au milieu des cantiques et des Ave. Au-dessus du lac et des arbres feuillus, elle goûtait une paix profonde. Elle revenait de cette expédition, fourbue et heureuse, rassasiée de fatigues et de consolations spirituelles. À la ville, madame Rosalie regrettait le contact de la nature qu'elle affectionnait tellement. La verdure et les fleurs la comblaient de joie. Malgré sa pauvreté, elle entretenait toujours quelques plantes pour agrémenter son foyer et orner l'image de la Vierge Marie.

Au printemps de 1845, madame Jetté fut mandée à l'évêché. Elle s'attendait à une tâche coutumière, quand on vint la prévenir que monseigneur Bourget allait lui-même la recevoir. Après les affabilités habituelles, l'évêque s'exprima en ces termes : «Comme il a plu à Dieu de se servir déjà de vous, pour faire beaucoup de bien à ces pauvres enfants, n'aimeriez-vous pas, ma fille, à poursuivre cette œuvre et à l'agrandir, en fondant une communauté qui multiplierait et perpétuerait à jamais le bien que vous avez si heureusement commencé?»

Ébahie par ces propos, la pauvre femme voit son esprit envahi par une foule d'objections. Son incapacité si grande, son âge avancé, un état de vie inaccoutumé, des responsabilités innombrables, tout s'affole dans ses pensées. Ses yeux regardent, mais ne voient rien. Le bon évêque sourit devant son trouble. Il semble heureux de son désarroi: il devine toutes les objections de sa généreuse personne. Après quelques instants de silence, il reprend calme et persuasif: «Dieu le veut, ma fille. Il vous donnera les grâces dont vous avez besoin pour réussir. Priez encore pour vous assurer de sa volonté. Mais, Dieu le veut!»

6

Dans le dénuement complet d'un grenier de la rue Saint-Simon, au milieu des sarcasmes, une œuvre étrange voit le jour.

Bouleversée et confuse, madame Jetté se voyait écrasée par des responsabilités inconnues. Comment pourrait-elle accepter une pareille tâche? À cinquante ans, on ne s'adapte pas facilement à un nouveau genre de vie. Religieuse, elle avait bien songé à le devenir dans son enfance et cette pensée lui était douce. Mais, un rêve de jeunesse peut-il se réaliser si tard? Aujourd'hui, la vocation se présente sous un aspect peu ordinaire. Fonder une communauté, entraîner et former des compagnes, il semble bien que cela lui est impossible.

Revenue à la maison, elle regarde autour d'elle avec des yeux hagards. Rien ne la retient, elle semble libérée de toute attache. La prière à l'église a calmé ses angoisses et ses surprises. Son cœur éprouve un grand soulagement. Certains meubles du foyer rappellent à la mémoire les tâches journalières; ils évoquent aussi les membres de la famille, disparus. En effet, Rosalie a bien conduit sa barque. L'épreuve du veuvage n'a pas ralenti sa course. Les enfants mariés tour à tour ont établi leur nid, ici et là. Les événements ont suivi leur cours et la voilà seule et libre de s'adonner à ses charités de choix. En somme, sa vie continuera un peu comme auparavant. Toutefois, elle pourra prier plus à l'aise, se donner plus complètement à Dieu et mieux servir les malheureuses qui recourent à ses services.

La Providence arrange bien les circonstances, quand on sait les regarder sous la lumière de la grâce. Madame Rosalie comprend. Elle voit le doigt de Dieu dans la page blanche de sa cinquantième année. Elle baise cette main divine et son âme embrasse sa volonté toute puissante. Après quelques jours de sérénité, elle revient auprès de l'évêque se placer entièrement à son service.

À cette date, madame Jetté demeurait chez sa fille, madame Thomas. Elle s'ouvrit de sa décision et comprit que son départ attristerait le foyer. En effet, madame Thomas aimait beaucoup sa mère et celle-ci s'était attachée à ses petits-enfants. Pierre en était l'aîné et il respectait tendrement sa grand-mère Rosalie. Les jumeaux Maximien et Jean-Marie étaient sans doute bruyants, mais la grand-maman les affectionnait grandement. La petite Philomène était la filleule de madame Jetté et Janvière, le bébé, reposait souvent dans les bras de sa grand-mère.

Madame Thomas aurait souhaité garder sa mère auprès d'elle ; malgré la tristesse qui accablait son cœur, elle n'osa pas exposer les objections qui lui venaient à l'esprit. Elle décida de parler de l'affaire avec Pierre qui habitait rue Saint-Simon. Toujours attentif aux désirs de sa mère, il proposa une solution acceptable. Convaincu que l'évêque ne demandait qu'un refuge temporaire pour quelques filles momentanément mal prises, il offrit gratuitement le logis vacant au-dessus du sien. Ainsi, madame Jetté pourrait vaquer à ses activités domestiques et charitables sous la tutelle filiale.

Grand-mère Rosalie prit possession de son nouveau logis, le 11 mai 1845.

Quelle était cette maison qui servait de berceau à une œuvre aussi particulière? Il s'agissait d'une masure de bois, étroite et vieillie. Sous les combles, le logement ressemblait plutôt à un grenier qu'à un appartement. D'ailleurs, il fallait grimper par l'échelle pour atteindre ce réduit de la rue Saint-Simon. L'espace était assez grand pour loger trois ou quatre personnes, mais les variations de la température le rendaient glacial en hiver et torride en été. Le vent y sifflait, comme à travers une grange. L'ameublement consistait en quelques lits et chaises, une table, un poêle et les ustensiles indispensables. Tout ce maigre mobilier était fourni par la charité publique.

Jamais, le berceau d'une œuvre ne connut une pareille misère. Aux heures les plus sombres de sa vie familiale, madame Jetté n'avait jamais goûté un dénuement aussi complet. Cependant, elle semblait sourire intérieurement à ce Jésus qui appelait à sa suite des personnes dépouillées de toutes les attaches terrestres.

Madame Jetté s'installe d'abord avec une seule mère célibataire. Le printemps s'annonce rempli de promesses inconnues que seule la Providence peut prévoir. Dans l'obscurité de son réduit, la veuve s'attache aux besognes quotidiennes du ménage, confiante dans l'efficacité surnaturelle du devoir d'état. Durant ce même mois de mai, elle reçoit deux autres jeunes filles. Pour elle, ce sont des présents qui lui viennent directement de la Vierge Marie, mère des miséricordes.

Monseigneur Bourget se félicitait d'avoir choisi une personne aussi généreuse. Jamais, elle ne se plaignait. Elle dirigeait ses pensionnaires avec une bonté toute maternelle. Grâce à la bonne entente qu'elle faisait régner autour d'elle, chacune travaillait selon ses aptitudes et le pauvre grenier prenait une allure agréable, tant on y mettait de cœur à l'embellir. L'évêque envoyait peu d'argent, mais la veuve ne demandait rien. Elle se privait plutôt. Quand il s'agissait du bien-être de ses filles, elle n'hésitait pas à recourir aux bons offices de personnes charitables qui fournissaient aussitôt nourriture, chauffage ou ameublement. Avec joie, elle passait son lit à celle qui tombait malade et il arrivait souvent qu'elle dormait sur le plancher, la tête appuyée sur une bûche.

Malgré sa pauvreté extrême, la veuve Jetté ne refusait personne. Un soir, une demoiselle du voisinage se présente, dissimulant des provisions sous son manteau. Dans l'obscurité, madame Rosalie ne reconnaît point sa bienfaitrice et la prenant pour une nouvelle pensionnaire, elle lui offre un accueil maternel et promet de la garder sans aucuns frais, tant qu'elle le voudra. Imaginez la confusion de la pauvre veuve, quand elle s'aperçut de sa méprise. L'aimable voisine fut tellement édifiée, qu'elle s'attacha pour toujours à cette amie charitable.

Au milieu de ses travaux et de ses peines, madame Jetté connut une joie fort consolante. Monseigneur Bourget n'avait pas toujours les moyens de trouver l'argent

Seule la croix pouvait apaiser tant d'épreuves.

nécessaire à ses œuvres, mais il possédait un don particulier pour l'aide morale. Il décida d'associer madame Raymond à ce qu'il appelait l'hospice Sainte-Pélagie. Madame Jetté reçut cette compagne avec effusion. Les deux femmes firent vite connaissance et se lièrent d'amitié pour la vie. D'ailleurs, leurs existences s'étaient écoulées d'une manière à peu près semblable et elles possédaient une foule de traits communs.

Madame Raymond était originaire de Rivière-du-Loup. Elle avait reçu dans sa famille le nom de Sophie Desmarets et une solide formation chrétienne. À Montréal, elle exerça d'abord le métier de couturière avant d'épouser Michel Raymond. Son mariage lui coûta bien des larmes, car elle perdit six enfants en bas âge. Un seul garçon survécut et il ne se montra pas reconnaissant pour sa mère. Celle-ci dut travailler constamment à réparer les légèretés d'un mari prodigue et les fredaines d'un enfant difficile. Devenue veuve, elle se consacre à l'œuvre naissante du Bon-Pasteur. Puis, l'arrivée des religieuses la rend libre de nouveau. Elle se remet au service de l'évêque qui la juge très apte à seconder madame Jetté.

Ces deux femmes de cinquante ans allaient former une équipe solide et inséparable. Ingénieuse et adroite, madame Raymond était pleine de ressources. Habituée aux épreuves et aux tâches les plus rudes, elle conservait un naturel enjoué et causait avec beaucoup de charme de tous les sujets. Elle avait le don de s'adapter aisément à toutes les situations et à tous les caractères. Elle conservait sans cesse une patience empreinte de douceur et de pénétration. Ne calculant jamais ses efforts, elle gardait un enthousiasme indéfectible.

Dès son arrivée, le 20 juillet, elle égaya le logis et appuya madame Jetté de toutes ses forces. Celle-ci fut tellement heureuse, qu'elle oublia aussitôt tous ses tracas. Madame Raymond, en ménagère avisée, s'aperçut au premier coup d'œil de la pénurie de l'établissement. Elle courut chez monsieur Berthelet, l'auxiliaire laïque de monseigneur Bourget dans toutes ses entreprises apostoliques. Le charitable gentilhomme vint en personne visiter le pauvre taudis. Il fut si ému de la misère des lieux et de la générosité courageuse de madame Rosalie qu'il expédia au plus tôt les articles nécessaires et promit à madame Raymond d'accourir au moindre signe.

La présence de madame Raymond et l'appui de monsieur Berthelet éveillèrent les inquiétudes des enfants Jetté. Ils se consultèrent en secret. Ils estimaient la charité de leur évêque. Ce dernier avait l'habitude de faire appel à la disponibilité de maman Rosalie. Mais que signifiait ce titre d'hospice Sainte-Pélagie ? Ils apprirent de la bouche même de leur mère que cette sainte avait vécu aux premiers siècles du christianisme dans la ville d'Antioche. Actrice dans les jeux du théâtre païen, elle se convertit à la foi du Christ et quitta sa profession pour se consacrer entièrement à la pénitence.

Ces renseignements n'étaient pas susceptibles de calmer l'angoisse des grands enfants. D'ailleurs, les deux dames associées jugèrent bientôt leur logis trop étroit et trop incommode. Elles ne se gênèrent pas pour le dire et projeter un établissement plus confortable. Ce désir d'avancement ou d'indépendance leur parut d'une audace insensée. Leur patience se changea en opposition sourde et obstinée.

Madame Jetté souffrait du silence et de la froideur des siens. Cependant, l'hiver passa, écourtant les jours et étirant les nuits. Le froid glaçait le toit et engourdissait les membres. Mais la charité réchauffait les cœurs. Le nombre des protégées variait entre trois et cinq à la fois ; cependant, il s'éleva jusqu'à huit. L'étroitesse du logis rendait plus embarrassants les travaux du ménage. Il fallait veiller aussi à la bonne entente entre les pensionnaires qui réclament parfois une attention particulière. Les deux veuves s'accordaient constamment à calmer les humeurs et les chagrins, si bien que la paix régnait plus en ce réduit que dans maintes familles comblées.

Une occasion pénible permit à madame Jetté de montrer encore son bon cœur envers ses enfants. Le mari de sa fille Rose tomba subitement malade. La courageuse mère vint veiller au chevet de son gendre et le prépara à mourir. À trente-trois ans, expirait Romuald Thomas, laissant sa femme veuve avec six enfants. Maman Rosalie consola sa fille avec des paroles appropriées, car elle savait ce que signifiait la perte d'un époux. Quelques jours plus tard, le bébé malingre mourut aussi et, cette fois encore, grand-mère Rosalie était présente avec son cœur secourable.

Ce deuil contribua peut-être à énerver davantage l'esprit des enfants de madame Jetté. Comme tous les enfants du monde, ils avaient rêvé pour leur mère d'une situation reposante et respectable. Contrairement à leurs désirs, elle s'attachait à une œuvre méconnue ; elle allait s'enfermer avec des mères célibataires sous une mansarde obscure ; elle vivait et quêtait comme une pauvresse, en faveur d'une cause dont on ne parlait qu'à voix basse et honteuse.

Quand ils apprirent que leur mère préparait secrètement son déménagement pour élargir encore son dévouement, ils accoururent, l'un après l'autre, supplier la pauvre femme de ne pas entreprendre une pareille aventure. Chacun promettait de la soutenir dans tous ses projets charitables, mais priait de ne pas les délaisser totalement. Les arguments empruntaient les tons les plus divers. De la tendresse éplorée jusqu'à la véhémence du scandale, on l'assaillait de tous côtés.

Dans ces moments d'intenses émotions, des paroles fusent parfois, qui blessent comme des flèches dans la chair vive. Madame Jetté, que ses petits-enfants appelaient déjà grand-mère Rosalie depuis leur enfance, sentit des reproches cuisants dans la bouche de ses grands enfants. Ceux-ci considéraient comme acceptable une vocation dans une communauté déjà existante, mais se vouer au relèvement des filles enceintes, ils ne pouvaient que gronder et rougir de honte. D'ailleurs, qui pourrait bien s'associer à une œuvre pareille quand même ses propres enfants ne la secondaient qu'avec répugnance? Cette aventure était chimérique et vouée à l'échec le plus inévitable.

Un jour, Pierre résolut de ramener sa mère au milieu d'un foyer naturel. Ne trouvant plus d'arguments valables, il s'empare de ses vêtements et fait mine de les emporter pour la forcer à revenir parmi les siens. La courageuse mère dit alors à son cher Pierre: «Prenez tout ce que je possède; mais sachez que pour moi, je demeure ici.» Le pauvre Pierre fut tellement décontenancé qu'il s'inclina profondément devant la dignité de sa mère.

Enfin, les demandes et les larmes s'apaisèrent devant les soupirs de la mère humiliée. On décida de plaider jusque devant l'évêque la cause de la veuve illuminée. Monseigneur Bourget reçut avec bonté les enfants de la courageuse femme. Il les félicita d'avoir une maman au cœur si large. Ils en avaient profité les premiers; pourquoi refuseraient-ils à tant d'autres petits malheureux le bonheur de connaître une mère aussi magnifique? Dieu l'avait comblée de dons qu'il fallait non plus enfouir, mais répandre à profusion. La paix revint dans la famille et grand-mère Rosalie se prépara à quitter définitivement cet établissement temporaire.

Lorsque le bruit se répandit par la ville que cette œuvre étrange ambitionnait de devenir permanente, les propos défaitistes s'abattirent sur elle, comme une volée de corbeaux noirs. À tous les conseils de prudence décevante, madame Jetté répliquait: «Dieu m'a confié l'entreprise; à Lui d'assurer le succès. Les mépris du monde me sont indifférents et ne m'empêchent pas de poursuivre l'œuvre de Dieu avec courage. Le monde ne m'est rien et qu'y a-t-il dans le monde le plus souvent, sinon mensonges et calomnies?»

Les sages avis de modération et les prédictions ténébreuses d'échecs évidents s'évanouissaient devant sa foi en la Providence et sa soumission à son évêque. «Dieu peut tout, je me confie en Dieu», redisait-elle. Inébranlable devant les oppositions, madame Jetté manifestait toujours une patience sereine. Une fois cependant, elle osa exprimer sa confiance d'une façon si convaincante qu'elle étonna son entourage. En effet, une bonne dame venait de lui réitérer les prudentes objections que l'on colportait dans la ville. Fermement, elle répondit : « Il viendra un jour, où cette communauté fera un grand bien ; et vous-même peut-être serez-vous heureuse de recourir à ses services. » De toutes les prévisions de malheur, aucune ne se réalisa. Seule, la confiance de madame Jetté ne fut pas déçue. Elle eut le bonheur de voir sa communauté prospérer et cette même personne qui l'invitait à délaisser cet apostolat recourir piteusement à ses bons soins pour aider sa jeune fille enceinte.

Lorsque Vincent de Paul résolut de se charger des enfants trouvés, il rencontra une vive opposition de la part des dames charitables qui le secondaient pourtant dans toutes ses autres œuvres. On objectait l'avilissement de la charité elle-même, l'inutilité des efforts, l'encouragement au vice, l'acceptation des déshonneurs, etc. Le saint homme de Paris plaça alors devant elles un bébé ramassé durant la nuit et déclara ceci : « Quand Dieu voulut sauver les hommes du péché, Il n'a pas choisi un enfant parmi ses créatures coupables, mais Il choisit son propre Fils. » Ces fières paroles illustrent durement la vérité évangélique qui affirme que Dieu ne veut pas la mort du pécheur, mais sa conversion et sa vie.

Madame Jetté essuya les mêmes critiques. Il n'y avait pas une journée où elle ne rencontra suspicion et dédain. Une parente lui reprocha même d'être la honte de la famille. Ces incompréhensions avaient l'heur de la détacher davantage du monde. Plus on tentait de l'ébranler, plus elle affectionnait ses pauvres désemparées.

Malgré la pauvreté de son gîte, elle se sentit tellement heureuse au milieu de ses filles, qu'elle se serait cru dépaysée en les quittant. Elle recommençait un nouveau foyer qui allait être le berceau d'une communauté. Plus la chaleur de ce foyer serait grande, plus la communauté serait rayonnante.

Après les assauts de la tendresse filiale et les mépris de l'esprit mondain, madame Jetté supporta les attaques du malin. La charitable veuve devait sortir de temps à autre, durant la nuit, pour quérir un prêtre ou un médecin. Ces courses imprévues tourmentaient madame Jetté. Les rues sans éclairage n'invitaient pas à la promenade. Malgré ses craintes, elle enroulait son chapelet autour de son bras et partait sans hésiter. La charité ne doit-elle pas être courageuse? Jamais, elle n'eut à redouter d'accidents fâcheux. Cependant, elle avoua plus tard qu'à deux reprises, elle fut suivie par un énorme chien noir, dont les naseaux fumants venaient souffler jusque sur ses talons. Elle crut s'apercevoir, par les indices extérieurs comme par ses sentiments intérieurs, que le démon lui-même cherchait à l'épouvanter pour la détourner de son œuvre.

Voyant là un signe évident que cet apostolat plaisait à Dieu, madame Jetté redoubla de confiance et de zèle. Dans son cœur d'apôtre, Dieu Lui-même forgeait la force et l'amour.

7

« Dieu le veut ! » Des aides, des recrues surgissent. L'hospice Sainte-Pélagie est en bonne voie.

Après une année de séjour à la rue Saint-Simon, on songea à louer une maison plus vaste. L'hospice Sainte-Pélagie élut domicile sur la rue Wolfe. Ce déplacement marquait une étape importante dans le progrès de l'œuvre qui voulait survivre.

D'abord, l'espace et le confort allaient être plus avantageux. En effet, on entrait dans une longue habitation encore solide, dont on ne louait qu'une moitié. Au rez-de-chaussée, mesdames Jetté et Raymond aménagèrent le réfectoire, la cuisine et le lavoir. Quatre fenêtres ouvraient sur la rue comme à l'arrière et la porte était bien fixée au centre des pièces principales. À l'étage qui comptait six fenêtres, on situa la petite chapelle et la salle commune. Enfin, sous les combles percés de quatre mansardes, ce fut le dortoir. Une petite cour, serrée entre des hangars, formait un coin de verdure et de paix.

Le nouvel établissement fut si apprécié que madame Jetté lançait des soupirs de soulagement et des exclamations de reconnaissance. Le mauvais temps n'était plus à craindre et on pouvait recevoir une dizaine de pensionnaires à la fois. La chapelle ralliait toutes les préférences. On y plaçait les objets les plus beaux. Le pauvre crucifix de bois pendait devant une tapisserie. L'autel, modeste en ses dimensions comme en ses ornements, était également de bois ; une peinture blanche en recouvrait la rugosité. De petites images encadrées illustraient le chemin de la croix. Dès qu'on cueillait quelques fleurs naturelles, elles parfumaient aussitôt le minuscule oratoire. Enfin, Dieu habitait au milieu des siens.

Madame Jetté se réjouissait plus que toutes les autres de cette présence eucharistique. Elle se félicitait d'avoir tout quitté pour le bon Dieu, car Lui-même s'approchait d'elle, au point de loger sous le même toit. Le dimanche matin et un autre jour de la semaine, l'aumônier venait célébrer la sainte messe. Les protégées étaient heureuses de cette nouvelle demeure et elles profitaient davantage de l'apport spirituel du prêtre.

Monseigneur avait assigné l'abbé Antoine Rey, comme directeur sacerdotal de l'hospice. C'était un ecclésiastique de France, d'un âge assez avancé et qui résidait depuis un an à l'évêché. Austère et bienveillant, zélé et digne, il pratiquait une spiritualité sévère et prêchait volontiers la mortification. Cependant, il se faisait très doux et compatissant envers les êtres les plus faibles. C'est pourquoi les jeunes filles de Pélagie respectaient ses conseils et admiraient ses vertus.

La Providence veillait avec attention sur l'œuvre naissante. Malgré les mépris et peut-être à cause d'eux, des personnes généreuses s'approchaient avec sympathie. Une demoiselle Tailleur vint s'associer aux deux femmes, puis une autre veuve, madame Montrais, demanda le même privilège. La principale recrue fut alors mademoiselle Lucie Benoît. Élevée par des parents fervents et charitables, elle attendait à vingt-huit ans une occasion de se donner à une cause généreuse. Face à son domicile, vint s'établir l'hospice Sainte-Pélagie. Le dévouement de madame Jetté la toucha et elle offrit ses services à plusieurs reprises. Elle s'initia rapidement aux travaux de l'œuvre et demanda d'être associée pour toujours à cette institution. Courageuse et simple, elle envisageait les difficultés avec une aisance remarquable et sa bonne humeur lui gagnait tous les cœurs.

Ce groupe de cinq personnes, désireuses de se vouer au même apostolat, décide monseigneur Bourget à tenter une nouvelle étape dans cette aventure spirituelle. Le dimanche, 26 juillet 1846, en la fête de la bonne sainte Anne, l'évêque célèbre la messe à l'hospice. Il adresse la parole aux nouvelles associées et leur décrit les exigences de la vie religieuse. Il explique ensuite la règle à suivre et annonce l'ouverture du noviciat. La surprise et la joie gonflent les cœurs. Novice, à son âge, madame Jetté ne peut le croire! Elle a toujours eu confiance en son évêque et elle ne doute pas de la grâce divine. Son cœur se fera jeune et son esprit docile, car il s'agit de mieux apprendre à servir Dieu.

Humble et confuse, madame Jetté écoute les recommandations de celui qu'elle considère comme son supérieur. Elle se soumet à cette volonté et baise l'anneau de son évêque. Celui-ci place temporairement madame Raymond à la tête des novices et accorde sa bénédiction aux pionnières d'une œuvre encore imprécise. Dieu se charge du progrès de la petite communauté.

De son côté, l'aumônier établit le règlement de la maison et chacune s'applique à le pratiquer de son mieux. Dans la Congrégation de Sainte-Pélagie, comme on l'appelle, on veille surtout à l'union fraternelle, à la pauvreté et au bon ordre. On se confesse et on communie chaque semaine et tous les matins, on s'adonne à la méditation. Les travaux du jour sont coupés par des exercices de piété, comme le chapelet et la lecture spirituelle. En somme, on s'initie généreusement à la vie religieuse et la ferveur de chacune emporte les esprits en un même élan spirituel.

Les protégées de l'hospice partagent aussi le même règlement, dans ses grandes lignes. Elles ne sont pas soumises aux exercices de la vie religieuse, mais elles profitent du bon esprit de la maison. On leur prescrit le respect envers leurs directrices et la charité entre elles. Pour mieux favoriser cette bonne entente, les jeunes mères célibataires prennent dès leur entrée un nom d'emprunt ; ainsi elles sauvegardent le nom et l'honneur de leur famille. On s'efforce également de leur inculquer un véritable esprit de repentir et un nouvel équilibre moral. D'ailleurs, les règlements ne changeaient rien au climat familial de la maison ; ils y ajoutaient simplement une délicatesse plus grande, enveloppée de gestes plus silencieux.

Le noviciat allait bon train, quand s'annonça la venue de nouvelles recrues. Elles se nommaient Lucie Lecourtois et la veuve Galipeault ; puis, un mois plus tard, Justine Filion. La première, originaire de l'Assomption, alliait le courage à la douceur. La seconde possédait une forte personnalité et le sens de l'organisation. La troisième se sacrifiait jusqu'à l'oubli de soi ; à Terrebonne, où elle enseigna quelques années, elle recueillit si généreusement les miséreux qu'elle fut réduite à une entière pauvreté. Telles étaient les nouvelles recrues que Dieu attirait vers ce nouveau cénacle et que monseigneur Bourget savait diriger avec discernement.

Durant l'absence de l'évêque, monseigneur Prince administrait le diocèse, à titre de coadjuteur. C'est pour cette raison qu'on le voit présider la première élection du petit groupe. Le 6 novembre 1846, après la messe, il exhorte les novices à la vie spirituelle et procède au dépouillement du scrutin. Madame Jetté est élue supérieure et madame Galipeault, assistante. Les autres charges sont distribuées à chacune et tout le monde se réjouit de l'office confié. On se félicite mutuellement, car un même esprit unit et entraîne tous les cœurs. La vie en commun devient alors plaisante et chacune s'applique à rendre l'accord plus intime et plus profond.

Comme en toute communauté débutante, la ferveur régnait parmi les Dames de Charité, comme les surnomme monseigneur Prince. Le prélat s'intéressait grandement à cette œuvre bien efficace et si incomprise. Dès la fin du même mois, il revenait à Sainte-Pélagie pour préparer les novices à la vêture du costume religieux. Après avoir fixé le sens de l'habit, il en décrivit la forme, au contentement de tous. En quelques jours, tout fut confectionné et le premier décembre, les Dames de Charité revêtaient le costume religieux.

Simple et approprié, il se composait d'une robe et d'une collerette noires, d'un bonnet et d'un collet blancs. Sous leur nouvel habit, les novices se regardaient avec étonnement. Le sourire rajeunissait leurs traits ; elles vivaient une aventure qui les reportait à un âge où le don de soi est ordinairement facile. Cette mentalité avait l'heureux résultat de les approcher de leurs jeunes pensionnaires. Celles-ci se rendaient compte que les attentions dont elles étaient l'objet provenaient de cœurs rajeunis par la grâce d'une vocation de charité.

Madame Jetté n'en croyait pas ses yeux et elle chantait des hymnes de reconnaissance. En si peu de temps, Dieu avait aplani de si nombreuses difficultés! Comment ne pas croire en la force de la Providence. Des charités personnelles et continues l'avaient conduite à un grenier, puis à une maison solide. À ses côtés, elle comptait déjà plusieurs compagnes. Deux s'étaient retirées avant la vêture. Mademoiselle Tailleur était retournée chez elle, mais madame Montrais avait résolu de demeurer au milieu d'une si bonne compagnie, sans être religieuse. En somme, après une année et demie, les Dames de Charité formaient un groupe de dix femmes désireuses de se former à la vie religieuse. Le progrès était considérable et l'humble dame Jetté ne pouvait s'imaginer que la charité possédât tant d'attraits.

En décembre, deux autres personnes venaient se joindre aux dames en noviciat. Elles se nommaient Adélaïde Lauzon et Sophie Bibeau. Aussi généreuses que courageuses, elles manifestèrent rapidement des aptitudes particulières pour la vie religieuse. Plus elles avancèrent en spiritualité, mieux elles servirent les mères célibataires.

Spontanément, les jeunes pensionnaires partagèrent la joie de leurs gardiennes. Elles furent si heureuses qu'elles décidèrent de les appeler «mères». Madame

Jetté en fut consolée et toute la maisonnée égayée. Un nouvel entrain soulevait les courages et l'amitié unissait tous les cœurs comme si toutes ces femmes eussent été du même âge.

Mère Jetté profita de ce renouveau pour demander une autre faveur à monseigneur Prince. Elle obtint donc pour ses chères pensionnaires un certain costume : un bonnet et une guimpe de même couleur, ainsi qu'un ruban soutenant une médaille de la Vierge Marie. Cette protection surnaturelle, Mère Jetté la recherchait en toutes choses. Elle croyait tellement à l'efficacité de la dévotion mariale, qu'elle était assurée de la conversion de ses chères jeunes quand elle réussissait à l'implanter en elles.

L'hiver passait péniblement. La ferveur de la maison n'enlevait rien aux dures nécessités de la pauvreté. Après la prière de Marie, il fallait bien retomber dans le labeur de Marthe. Ce noviciat n'avait guère l'aspect de la tutelle sévère que l'on rencontre habituellement dans les institutions anciennes.

La maison se faisait plus étroite, à mesure que les pensionnaires augmentaient en nombre. La même pièce servait durant le même jour à divers usages. La cuisine et le réfectoire se changeaient tour à tour en lavoir ou séchoir. Le vieux poêle n'en finissait pas de chauffer l'eau, les fers, la cire et cuire les aliments. À l'étage, la salle de communauté servait aussi de dortoir pour les pensionnées et les directrices montaient au grenier pour la nuit. Ce branle-bas quotidien se prolongea plusieurs semaines. Il fallait vraiment une patience de novice pour supporter cet état de gêne et ces incommodités constantes.

À la suggestion de Mère Jetté, monseigneur Prince loua le rez-de-chaussée voisin de la même maison. On décida d'y établir les filles et on chargea Lucie Lecourtois de les diriger. La pauvre novice redoutait cette charge et elle confia son inquiétude à sa supérieure.

Maternellement, Mère Jetté la consola et lui fit cette confidence. «Ces pauvres enfants, dit-elle, sont meilleures que vous ne pensez; allez et soyez sans crainte.» Elle savait ce qu'elle disait alors, cette humble femme. Elle avait deviné depuis longtemps les ressources spirituelles qui accompagnent toute maternité. Si Dieu relève les pécheurs, pourquoi ne les accepterions-nous pas avec sympathie, puisque nous leur ressemblons?

Mère Jetté était entrée dans une voie qui exigeait une largeur de vue peu commune et une charité faite de confiance. Dieu l'avait orientée vers les femmes exploitées au nom de l'amour humain. Il leur apporterait la preuve que l'amour divin ne déçoit personne. Comment redonner l'espoir à des cœurs brisés?

Toutes les attentions peuvent se heurter à des fronts durcis. Mère Jetté chercha toujours à puiser dans la miséricorde de Dieu les lumières nécessaires à son apostolat. En effet, il était remarquable de voir comment son esprit pouvait déployer de sagesse, quand il s'agissait du bien de ses protégées.

8

Dieu éprouve ceux qu'Il aime:
humiliations, détresse, épidé-
mie fondent sur Sain-
te-Pélagie.

Les progrès de Sainte-Pélagie n'allaient pas sans sacrifice. La pauvreté était grande et le menu souvent très maigre. On se contentait maintes fois de pain, de beurre et de pommes de terre. Pour éviter les dettes, il fallait recourir aux bienfaiteurs. La famille Benoît veillait à ce que la nourriture ne fasse pas défaut, mais Lucie n'était pas bavarde. Monsieur Pinsonnault, prêtre de Saint-Sulpice, intéressait sa famille à l'œuvre de Mère Jetté. Les chanoines Truteau et Plamondon savaient qu'on visitait difficilement l'hospice sans payer, tellement la pauvreté était visible. Les autres communautés religieuses et le séminaire apportaient leur concours, car on connaissait l'attachement de monseigneur Bourget à ce nouveau centre de charité.

À la façon de Benoît Labre, il y avait à Montréal un mendiant par vocation. Connu du public et des habitués du marché, le Père Beaudry s'était fait «quêteux» volontairement. Ayant cédé sa terre au séminaire où il se retira, le vieux entendait deux messes chaque matin, puis il partait avec sa besace sur le dos et son bâton à la main, chez les bouchers et les épiciers, à domicile ou sur les places publiques, il ramassait tout ce qu'on voulait bien lui donner. Quand il connut l'hospice de la rue Wolfe, il prit l'habitude d'y revenir souvent, mais il cachait toujours son grand cœur sous des dehors grognons. Le cher homme était aimé de tous et son exemple valait une prédication.

Malgré la pauvreté et les travaux parfois trop durs pour des femmes, les novices de Sainte-Pélagie étaient heureuses. Elles vivaient selon la volonté de Dieu qui prend soin de ses enfants. Mère Jetté n'était pas la dernière quand il était question du dévouement. En qualité de supérieure, elle veillait au bien-être de la maison, elle se faisait aussi infirmière et ne négligeait rien lorsque la santé de ses jeunes patientes réclamait des soins ou des veilles.

Une tâche surtout répugnait aux novices. Le dimanche, on portait les nouveau-nés à l'église Notre-Dame pour le baptême. Le trajet était assez long, car les rires et les quolibets fusaient au passage. Mère Jetté connaissait bien ce genre d'humiliations. Le récent costume de ses associées fut vite remarqué et à sa vue, les polissons se gaussaient et les bigotes se détournaient. Au sortir de l'église, il fallait reprendre la rue avec le nouveau baptisé et atteindre la crèche des Sœurs Grises. La rougeur montait rapidement au front et les novices trop timides tremblaient. Une d'elles avouait que ses jambes l'abandonnaient en ces moments et qu'elle avait failli perdre connaissance. Une autre fut si affolée par les cris du bébé qu'elle fut tentée de s'enfuir, en laissant sur la rue le bruyant fardeau. Ces humiliations fortifiaient les Dames de Charité et l'épreuve les enracinait davantage dans le service de Dieu.

Au début d'avril, le propriétaire vint signifier à Mère Jetté que les propos malveillants qui circulaient sur son œuvre jetaient du discrédit sur sa maison. En d'autres termes, cela voulait dire que l'hospice devait se trouver un autre domicile. L'aumônier eut beau frapper à plusieurs portes, il n'obtint que des refus. Dès qu'il était question des mères célibataires, la bienveillance se changeait en froideur. Monseigneur Prince se rendit lui-même à la rue Wolfe et fit part aux novices de ses embarras. Il célébra la messe et invita directrices et réfugiées à une neuvaine spéciale. «Dieu ne saurait vous abandonner, disait-il; vous avez trop fait pour son amour.» Jamais, la sainte d'Antioche ne fut invoquée avec autant de ferveur. Durant neuf jours, les supplications se firent pressantes. On récitait un chapelet d'invocations à l'obscure patronne. On la priait avec tant de zèle, que les siècles passés et les distances infranchissables rendaient la sainte toute proche de ses suppliantes.

La neuvaine s'acheva sans résultat. Inlassable, monseigneur Prince tente lui-même une démarche que l'on juge impossible. Il se présente chez monsieur Donegani, un riche hôtelier de la ville. Frappé par la détresse de cet hospice, le gentilhomme loue la maison désirée, au gré de l'évêque. Et il consent à la céder gratuitement et pour le temps qu'on voudra. La faveur obtenue dépassait les espoirs et on continua à prier la patronne avec reconnaissance.

Un autre déménagement s'annonçait donc. Il se fit avec entrain et le pauvre mobilier prit le chemin de la rue Sainte-Catherine, à l'angle sud-est de Saint-André. En apparence, ce troisième domicile n'était pas plus avantageux ; par contre, il était plus vaste. Le déplacement eut lieu le vingt-six avril et chaque directrice fut heureuse de constater que l'espace était plus vaste. Au premier étage, on installa le parloir et la salle de communauté, la cuisine et le réfectoire ainsi que le lavoir. Au second étage, on situa la chapelle, la salle des pensionnaires, le dortoir des religieuses et une chambrette pour l'aumônier. Enfin, au troisième, on plaça le dortoir des jeunes filles et l'infirmerie. Un petit jardin agrémentait l'arrière de la maison et chacune se promettait de l'embellir à sa manière.

L'aménagement du domicile ne se fit pas sans effort. Les travaux furent harassants et le déplacement avait distrait les bienfaiteurs. Le peu de viande que l'on se procurait passait évidemment aux jeunes filles et les pauvres directrices furent parfois réduites au pain et à l'eau. Devant une pareille nécessité, on dut recourir aux grands moyens. Madame Raymond et quelques compagnes firent de la couture pour les dames du voisinage, d'autres la lessive pour les foyers du quartier. Mère Jetté s'affairait à un métier moins féminin ; elle taillait des semelles pour les cordonniers. Imaginez le courage de ces femmes et le désir qui les animait !

Ces maigres revenus ne suffisaient pas toujours à répondre aux besoins nombreux de la maisonnée qui comptait environ une vingtaine d'adultes. Pour calmer la faim, on dut se résoudre à mendier. Le matin, une directrice allait au marché tendre la main pour l'hospice Pélagie. Le costume suscitait alors les railleries et les injures. On entendait encore les attaques habituelles au sujet d'une charité qui encourage le vice. Les novices, quoique vertueuses, payaient en humiliations les aumônes perçues. Elles allaient à rude école, mais la base de leur institut naissant n'en serait que plus solide.

Au milieu de cette détresse, une joie subite vint soulever les courages. Monseigneur Bourget revenait de Rome. Sa seule présence permettait toutes les espérances. Quelques jours après son retour, l'évêque vint visiter le nouveau logis de ses filles abandonnées. Ému de leur misère, il remet aussitôt tout l'argent qu'il porte sur lui. Ces huit dollars eurent le don de se multiplier, car monseigneur dirigea rapidement ses aumônes vers l'hospice Sainte-Pélagie. Le soutien matériel et spirituel du fondateur assurait la survie de l'œuvre commencée.

En ces temps difficiles, on ne sortait pas d'une épreuve sans en affronter une autre. C'est précisément durant l'été 1847 que se déchaîna une terrible épidémie de typhus. Chaque année, le Canada recevait des immigrants en quantité. Les Irlandais chassés par la persécution arrivèrent épuisés et fiévreux. Débarqués à la Pointe-Saint-Charles, l'épidémie fut si violente qu'elle abattit les arrivants comme la foudre. Les abords des quais furent mis à l'abri de la contagion, mais le fléau se répandit dans toute la ville.

Au devant de ce fléau accoururent l'évêque et son coadjuteur, les communautés religieuses et des laïques dévoués. La consternation fut grande quand on apprit dans la ville que Monseigneur était atteint du terrible mal. Partout on se mit en prière. Les Dames de Charité offrirent leurs services comme infirmières, mais l'évêque leur défendit de bouger, à cause de leurs pensionnaires. La contagion fut violente et les victimes très nombreuses. Près de quatre mille personnes moururent et furent ensevelies à l'endroit du sinistre. La charité montréalaise comptait plusieurs héros, parmi lesquels figuraient huit prêtres et dix religieuses. Le chapelain de Sainte-Pélagie, l'abbé Rey, était du nombre. Mère Jetté fut affligée de cette perte, car le bon prêtre, miné par la maladie, s'effondra devant elle après la messe. Transporté à l'Hôtel-Dieu, il remercia la supérieure de ses visites et expira, promettant de recommander au ciel le petit institut.

Pendant l'épidémie, deux novices furent gravement atteintes et l'on craignit pour leur vie. L'évêque confia à Mère Jetté une relique de la bienheureuse Béatrice d'Este, don qu'il avait reçu du pape Pie IX. Dans les circonstances, la contagion pouvait signifier la mort de la petite communauté. Aussi, les prières se firent-elles ardentes et pressantes. Mademoiselle Benoît et sa compagne reprirent leurs forces et leur guérison fut si rapide que l'on considérait cette faveur comme miraculeuse. En souvenir de cet événement, la communauté conserva précieusement la relique vénérable et la bienheureuse Béatrice ne fut jamais oubliée parmi les patronnes célestes.

Cependant la maison fut attristée par la mort de madame Montrais. Voyant sa santé péricliter, elle s'était résignée à ne pas poursuivre les exercices du noviciat. Attachée à Mère Jetté, elle partagea généreusement les travaux et les épreuves d'une œuvre débutante. Elle eut la consolation de finir ses jours au milieu des Dames de Charité, titre qu'elle méritait à bien des égards, parce qu'elle laissait de beaux exemples de générosité et d'amabilité.

Ces divers bouleversements auraient suffi à ébranler des novices d'un âge encore instable. Pour des personnes déjà mûries par les expériences de la vie, les épreuves prenaient un aspect plus spirituel. Les difficultés apparaissent alors comme des signes. La raison perçoit des dangers, mais la foi discerne la volonté de Dieu. Mère Jetté ressentait vivement les assauts que subissait son œuvre. Elle en voyait toute la fragilité. Pourtant, Dieu seul bâtit sur cette faiblesse humaine. Les pierres rejetées par les maçons deviennent en ses mains des pierres d'angle. Travaillant de toutes ses forces, elle savait que Dieu se charge du résultat.

D'ailleurs, Mère Jetté plaçait en son évêque et directeur une confiance sans limites. Elle le considérait avec raison comme un homme de Dieu. À son appel, les Jésuites étaient revenus au Canada. Les Oblats, les Clercs de Sainte-Croix et de Saint-Viateur entraient avec élan dans le champ apostolique du pays. Quand le besoin se faisait pressant, il fondait lui-même des communautés nouvelles. À Longueuil, il avait lancé les Sœurs des saints Noms de Jésus et de Marie qui se consacrent à l'enseignement. Envers les pauvres, il crée avec Mère Gamelin, les Filles de la Providence. Dès qu'il veut quelque chose, il trouve les moyens de l'atteindre. Sous sa protection, Mère Jetté ne craint rien. Maintes fois, pour calmer ses inquiétudes, la pieuse femme s'endormait avec le souvenir de la parole épiscopale : « Dieu le veut. »

Pendant quelque temps, l'aumônier de l'hospice fut le Père Louis Saché. Ce jésuite apporta la sagesse de ses conseils et la maîtrise de sa spiritualité. Cependant, son ministère fut de courte durée. C'est alors que l'évêque remit la direction de son hospice au chanoine Venant Pilon. Rapidement, il s'attacha à l'œuvre de Mère Jetté et comprit qu'il fallait partager la vie des novices, si l'on voulait les entraîner à la vie religieuse. Avec dévouement et patience, il présidait les exercices de piété. L'oraison fut un apprentissage à la fois pénible et agréable. La vie commune fut vécue en profondeur et en largeur. Plus on aimait Dieu, mieux on aimait le prochain.

Sous l'impulsion d'un pareil chapelain, les Dames de Charité firent de rapides progrès. Monseigneur Bourget en fut si satisfait qu'il jugea le moment venu de franchir une nouvelle étape. Le 1er novembre 1847, Sa Grandeur arrivait à l'hospice de la rue Sainte-Catherine. Il annonce aux novices que le jour de la profession religieuse approche. Pour se préparer à cet engagement, on fera une retraite de trente jours. À l'école des Exercices de saint Ignace de Loyola, que l'évêque affectionne tout particulièrement, la nouvelle communauté se formera durant un mois.

C'est avec une générosité sans bornes, que l'on s'adonna à ces Exercices qui ouvrirent la voie de la grâce à tant de saints. Enfin, on marchait dans les pas du Seigneur. Mère Jetté était heureuse de ses heures de prière. Elle en savourait toute la substance et s'y livrait à satiété.

Le chanoine Pilon dirigeait ses retraitantes avec zèle. Il ne cachait pas les exigences de la vie religieuse et il expliquait en détail le sens des trois vœux qui engagent la personne dans la voie des conseils évangéliques. Par ailleurs, il constatait chez ses dirigées un grand désir de perfection. Aussi souvent qu'il le pouvait, Monseigneur lui-même venait donner les instructions. Il mettait toute son énergie à former ses fondatrices, car il savait bien que la base de tout institut réside dans ses origines. Une idée apostolique préside à toute fondation. Cet esprit, il faut l'implanter profondément si l'on veut qu'il vive longtemps et attire des chrétiennes éprises d'idéal et de générosité. Quand il parlait de Notre Seigneur, la voix de l'évêque se faisait vibrante, mais quand il parlait de Notre-Dame la douceur envahissait ses traits.

Dociles à sa parole, les Dames de Charité se laissaient pénétrer et guider par ce maître convaincu. Avec Mère Jetté, l'évêque discutait des futurs règlements de la communauté. Il aimait cette femme humble et dévouée, au cœur si maternel qu'elle embrassait les misères les plus délaissées. Pour choisir un nom, convenable et caractéristique au nouvel institut, on s'arrêta sur l'attribut divin le plus consolant et le plus actif : miséricorde. Ce mot illustrait parfaitement l'ampleur de la charité à laquelle doivent aspirer les Sœurs de Miséricorde.

Monseigneur Bourget fixa la date du 16 janvier 1848 pour ériger canoniquement la communauté et désigna les huit novices qui seraient appelées à prononcer leurs vœux. Le choix du costume fut arrêté et l'on se mit à l'œuvre pour le confectionner rapidement. On conserva la robe et la collerette noires des novices ; on ajouta une guimpe et un bandeau de toile blanche. Le voile couvrant la tête serait de couleur noire et retomberait sur les épaules. À la ceinture, un cordon noir pendait, terminé par des glands et soutenant le chapelet qui rappelle la dévotion à Marie, si chère au fondateur. Sur la poitrine, la croix d'argent porte le nom de Jésus et au doigt l'anneau marque l'appartenance de la religieuse au Christ, Notre-Seigneur.

La cérémonie eut lieu dans la petite chapelle domestique décorée des ornements de la pauvreté. Durant la messe, le dialogue qui s'établit entre l'évêque et les religieuses revêtait ce jour-là un accent émouvant car une nouvelle famille religieuse naissait dans l'Église. « Vous êtes Sœurs de Miséricorde, disait Monseigneur. Vous aurez besoin de courage, de dévouement et d'abnégation devant la risée du monde. On vous traitera de folles, mais sachez que votre Maître a été le premier traité ainsi. Et Il a conquis le monde à la folie de sa Croix. Pour sauver des âmes, pour relever des cœurs blessés, vous entendrez bien des contradictions, vous éprouverez bien des traverses, vous dévorerez bien des affronts avant d'opérer un tel miracle. »

Un jeune prêtre qui assistait à cette cérémonie, fut bouleversé d'apprendre que se fondait sous ses yeux une nouvelle communauté. Le Père Lacombe éprouva en cette occasion une émotion ineffaçable. Il admirait cet évêque zélé qui lançait dans un monde pécheur une équipe de religieuses et il priait pour ces femmes courageuses qui consacraient leur vie à un apostolat incompris.

Chacune récitait pieusement la formule des vœux. Un nom de religion remplaçait le nom de famille. Madame Rosalie Jetté prit le nom de Sœur de la Nativité ; madame Raymond se nomma Sœur Saint-Jean-Chrysostôme ; Lucie Benoît se souvint de sa guérison et s'appela Sœur Sainte-Béatrice; Lucie Lecourtois se plaça sous la protection de Sœur Marie-des-Sept-Douleurs; madame Josette Galipeau prit le vocable de Sœur Sainte-Jeanne-de-Chantal; Justine Filion fut surnommée Sœur Saint-Joseph; Marguerite Gagnon devint Sœur Saint- François-de-Sales et Adélaïde Lauzon, Sœur Sainte-Marie-d'Égypte. Quant à mademoiselle Bibeau, elle dut attendre avec deux postulantes le jour plus éloigné de sa profession religieuse.

Enfin, l'œuvre de la Miséricorde était fondée pour longtemps, car l'institut des Sœurs de Miséricorde en assurerait la permanence. Avec soulagement et reconnaissance, Mère Jetté voyait son aventure déboucher sur une réalité durable. La doctrine du Christ apportait le souffle spirituel nécessaire à la poursuite de l'apostolat. Monseigneur Bourget avait orienté des personnes avec discernement vers une charité dépouillée et courageuse. Madame Rosalie avait accueilli ses compagnes comme des envoyées du ciel. Celles-ci avaient deviné en cette femme une âme vaillante et une bonté largement miséricordieuse. Le petit groupe de huit religieuses formait un même esprit et un même cœur. Dans la grande ville venait de germer un grain que Dieu se chargeait de faire croître pour l'honneur de son Église.

9

Le succès entraîne la sympathie. L'œuvre semble solide et assurée de l'avenir, avec cette fondatrice silencieuse.

Pour le jour de leur première profession, monseigneur Bourget adressa aux Sœurs de Miséricorde un mandement spécial. L'évêque rappelait aux nouvelles religieuses leur mission particulière. Il prenait exemple de la vie du Christ pour illustrer le genre d'apostolat auquel elles étaient appelées. Jésus ne fut-il pas l'ami des pécheurs? Il se fatigua pour aller à Samarie convertir une seule pécheresse. Il releva la femme adultère et accepta l'hommage de Madeleine avant de lui pardonner ses nombreux péchés. Enfin, la croix demeure pour tous les humains le signe du salut. Le prélat invitait les professes à méditer leur crucifix et à pratiquer une dévotion très tendre envers Marie, mère des miséricordes et refuge des pécheurs.

Madame Jetté pouvait regarder le chemin parcouru depuis trois ans. Elle s'étonnait du développement si rapide de son œuvre. Elle se voyait revêtue d'un habit religieux et entourée de compagnes animées du même idéal. La charge de fondatrice qu'elle redoutait tellement s'était accomplie tout naturellement. À chaque étape, elle avait puisé en son cœur les ressources que réclamaient les besoins. Son esprit qu'elle croyait si

Des aides, des recrues surgissent. L'Œuvre est en bonne voie.

dépourvu avait inventé les initiatives propres au développement de son œuvre. Elle constatait que la volonté de Dieu n'est pas un vain mot et que le secret de la vie réside dans l'accomplissement de cette volonté créatrice et sanctifiante.

Dans sa famille, la réconciliation faisait place à l'indifférence. Madame Thomas et ses enfants avaient assisté à la cérémonie de la profession religieuse. Pierre avait fait de même et les autres, probablement. Les petits-enfants regardaient grand-mère Rosalie avec des yeux remplis d'étonnement. Ils ne savaient comment s'exprimer ni la nommer. Les plus jeunes, cependant, conservaient leur spontanéité et ne se gênaient pas pour s'agripper à la longue robe noire avec le grand chapelet. Les événements avaient suivi leur cours et madame Jetté portait maintenant le nom de Mère de la Nativité.

Le lendemain de la profession religieuse, Monseigneur revint à la Miséricorde. On allait procéder à l'élection de la supérieure et des autres officières. Mère Jetté redoutait ce moment, car chaque professe voulait lui témoigner sa reconnaissance en la nommant supérieure. Elle pria son évêque de lui épargner le fardeau et le titre qui la menaçaient. Elle prétexta sa faiblesse et son incompétence, son ignorance et sa famille. Enfin, nulle n'était plus inapte à diriger une communauté qui ne demandait qu'à grandir.

Monseigneur n'était pas homme à se laisser émouvoir par ces arguments. Cependant, il fut très heureux de l'humilité que professait Mère de la Nativité. À travers les paroles de la bonne fondatrice, il devina le désir profond de mûrir une œuvre par le silence d'une vie cachée. Le regard était tellement suppliant et les mots si impuissants qu'il comprit son grand désir d'effacement. Mère, madame Jetté l'avait toujours été. Elle savait qu'on n'enfante pas une œuvre sans souffrances et que le rôle de la mère consiste à donner la vie à des êtres qui useront librement de leurs capacités. Née pour servir, sœur de la Nativité allait continuer dans la même voie.

Les suffrages se portèrent alors sur sœur Sainte-Jeanne-de-Chantal. Rapidement, cette dame Galipeau s'était imposée parmi les nouvelles religieuses comme une personne au caractère ferme et entreprenant. Elle jouissait de la considération de toutes ses compagnes et avait l'art d'adapter les personnes aux besoins de l'heure et de profiter adroitement des circonstances. Mère Jetté s'empressa de la féliciter et de l'assurer de son dévouement et de sa soumission. La nouvelle supérieure paraissait à ses yeux comme la femme la plus apte à diriger la communauté.

Pour assister la supérieure, on nomma sœur Saint-François-de-Sales. La maîtresse des novices fut sœur Marie-des-Sept-Douleurs et l'économe sœur Saint-Joseph. On confia le rôle de maîtresse de maternité à sœur Saint-Jean-Chrysostôme et de directrice des pensionnaires à sœur Sainte-Marie-d'Egypte. Sœur de la Nativité et sœur Sainte-Béatrice eurent le titre de conseillère.

Ainsi organisée, la maison reprit son allure coutumière. Les nouvelles religieuses furent assez bien accueillies du public, car la protection que leur offrait ouvertement monseigneur Bourget leur assurait sympathie et aumônes.

Monseigneur Bourget menait une vie débordante. Les intérêts de son vaste diocèse le tiraillaient de part et d'autre. Une population en éveil et une ville en expansion réclamaient des décisions promptes et des vues prévoyantes. À son clergé et à ses communautés, il aurait désiré consacrer tout son temps. Son zèle était sans limites et ses responsabilités écrasantes. De plus, certains événements désastreux venaient encore assaillir son cœur charitable.

C'est en janvier 1848 que Montréal connut l'inondation la plus terrible de son histoire. Les débâcles printanières occasionnaient souvent de pénibles dégâts. Mais cette fois, un dégel subit provoqua une fonte rapide des glaces et les eaux du fleuve envahirent les quais et s'engouffrèrent dans les rues environnantes. On dut évacuer un grand nombre de maisons et faire appel à des foyers charitables pour loger les familles déplacées. Dès que le bon évêque tendait la main et élevait la voix pour une action charitable, les portes s'ouvraient et les cœurs répondaient généreusement. Les fléaux qui accablaient la ville resserraient plus fermement les liens qui unissaient les fidèles à leur pasteur. La réputation de l'évêque était grande, parce que chacun sentait la chaleur du zèle qui le consumait.

À la Miséricorde, les religieuses poursuivaient leur travail caché. La supérieure veillait selon ses talents au bon ordre et au développement de l'œuvre. Durant la seule année 1848, on accueillit 87 protégées et on prit soin de baptiser les nouveau-nés. Ce chiffre donne une idée du travail continuel que cela suppose. Le chanoine Pilon persévérait dans la formation des novices et des postulantes. Quand il pouvait s'échapper, Monseigneur lui-même faisait de brèves apparitions. À chaque fois, il en profitait pour aviver l'esprit religieux par une bienfaisante exhortation. Les filles mères avaient aussi l'occasion de l'approcher ; elles lui demandaient conseil et réconfort. Elles bénissaient cette maison qui leur permettait de rencontrer un pasteur aussi compréhensif.

Un soir, une pensionnaire tomba si malade, qu'il fallut mander à l'évêché les derniers sacrements. L'évêque accourut lui-même et prépara la jeune fille à paraître devant Dieu. Les paroles furent si consolantes et la mort si douce, que toute la maisonnée en ressentit un élan de ferveur.

En 1849, le chanoine Pilon présida une seconde élection. Les membres du conseil furent réélus pour un nouveau mandat. Cependant, sœur de la Nativité devint assistante. Les religieuses désiraient par là témoigner leur estime à la silencieuse conseillère. La communauté comptait aussi deux professes de plus : Sophie Bibeau et Angélique Lévesque avaient pris les noms de sœurs Marie-de-Bonsecours et Saint-Jean-l'Évangéliste.

Pour soigner les jeunes protégées, la supérieure voulut mieux préparer ses religieuses à leur rôle de sage-femme. Elle demanda au docteur Trudel, le premier médecin attaché à l'hospice Sainte-Pélagie, de donner des cours à cette fin. Celui-ci accepta volontiers et fit partager gratuitement son savoir aux religieuses. À cette époque, les infirmières étaient rares et les médecins accablés de besognes. En formant ces religieuses, le docteur Trudel pourrait compter sur des auxiliaires dévouées auxquelles il confierait une foule de tâches pratiques et efficaces.

Les circonstances ne manquaient pas pour s'exercer dans l'art de soigner les malades. L'hygiène faisait souvent défaut et les enfants qui mouraient en bas âge étaient très nombreux. Pour obvier à ces misères, les sœurs de Miséricorde visitèrent les femmes malades à domicile. Ce service familial fut grandement apprécié et l'œuvre tant décriée connut une sympathie grandissante.

Il est bon de remarquer à ce sujet qu'une communauté fondée par une veuve s'adapte plus facilement à l'esprit familial. Ayant connu les vertus d'un foyer, elle ne redoute pas son contact. D'ailleurs le but de l'apostolat, religieux ou laïque, n'est-il pas de courir vers les miséreux ? Mère Jetté n'avait pas craint de se salir les mains pour secourir les pauvres. Elle n'avait pas craint non plus la réputation infâmante qui s'attachait à son œuvre. Ses sœurs partageaient le même idéal et la même audace. Pour guérir une plaie, il faut oser y toucher. Il en est de même pour le péché ; il faut l'approcher pour en libérer la victime.

Au dehors, la vie politique avait réveillé les rivalités raciales. Des clans se formaient et des bagarres surgissaient violentes et parfois sanglantes. Le premier ministre, Louis-Hippolyte Lafontaine, devait user de prudence devant le fanatisme de certains Anglais. On menaçait de brûler sa maison et d'attenter à sa vie. L'armée devait assurer l'ordre avec plus de vigilance. En avril, quand le gouverneur Elgin se rendit au parlement, il fut assailli par une grêle de pierres. Un groupe d'exaltés envahit l'édifice du gouvernement et on y mit le feu. Ces excès apaisèrent les violences et Montréal perdit peu après le titre de capitale.

Le bel hôtel Donegani fut aussi la proie des flammes. Sœur Jetté en ressentit un grand regret car c'était grâce à ce bienfaiteur qu'elle pouvait loger sa communauté et ses protégées. À la Miséricorde, on sympathisa avec l'hôtelier éprouvé et il continua néanmoins sa protection envers celles qui partageaient son épreuve.

Durant l'été, le choléra se répandit à travers la population. Encore une fois, la venue des émigrants avait provoqué cette épidémie. Les religieuses eurent l'occasion de déployer leur charité et leurs qualités d'infirmières. Les victimes atteignirent le nombre de cinq cents, malgré les précautions prises pour enrayer le fléau. À chaque calamité, sœur Jetté lançait des soupirs et trépignait d'impatience. Elle aurait voulu posséder une armée de gardes-malades pour secourir tous les affligés.

À la Miséricorde, on besognait en silence. Les religieuses prenaient l'habitude de la vie commune et les coutumes s'implantaient par la pratique habituelle d'une charité entreprenante et suave. Les pensionnaires se succédaient périodiquement et l'expérience des directrices s'enrichissait des misères assumées. En effet, quand on accueille la douleur d'autrui, comment ne pas élargir son cœur aux dimensions de la souffrance? Si le nombre des protégées diminua quelque peu durant l'année 1849, le travail ne fut pas moindre pour les religieuses. Car la formation religieuse et professionnelle exigeait beaucoup de temps et d'efforts. Cependant, le désir de mieux servir entraînait les courages.

Au début de l'année 1850, une autre religieuse fit profession chez les Sœurs de Miséricorde. Mademoiselle Marie Gauthier prit le nom de sœur Saint-Antoine-Abbé. Cette recrue venait combler le vide occasionné par le départ de sœur François-de-Sales. Celle-ci avait été dispensée de ses vœux et était retournée dans le monde. Peu après, elle supplia d'être admise de nouveau, mais on refusa sa requête. Ce genre de vocation n'était pas facile et il fallait plus de courage que de sensibilité pour y être fidèle.

À la demande du docteur Trudel, la supérieure ouvrit la salle de la maternité aux étudiants en médecine. Sous la direction du maître, les internes s'appliquèrent avec soin à développer leurs aptitudes. C'est ainsi que l'œuvre de Mère Jetté s'orienta vers le service hospitalier.

Durant l'année 1850, Montréal connut l'épreuve du feu. Au mois de juin, un incendie détruisit deux cents maisons. Les ruines étaient nombreuses et les pertes incalculables. Encore une fois, on fit appel à la charité des familles pour abriter les pauvres rescapés. On organisa des corvées et des guignolées afin de relever les ruines et vêtir les éprouvés. On commençait à se relever avec peine de cette conflagration, lorsque deux mois plus tard, le feu dévora une autre centaine de maisons. On peut s'imaginer le désarroi de la population devant tant de coups répétés. Infailliblement, les communautés supportent les contrecoups de ces malheurs. Lorsque la misère sévit dans une ville, non seulement les religieuses se prodiguent au secours des victimes, mais elles reçoivent moins de soutien. Il en fut ainsi pour les sœurs de Miséricorde. Les temps étaient durs et les privations coutumières. L'hiver passa péniblement et le bon chanoine Pilon n'avait pas besoin d'insister sur la pauvreté et la mortification.

Après la retraite annuelle de janvier 1851, la novice Lucie Thibaut fit sa profession religieuse sous le nom de sœur Saint-Ignace, en l'honneur de l'évêque fondateur. Devant le nombre croissant des religieuses et des pensionnaires, il fallut bien songer à un établissement plus vaste. Les inquiétudes des débuts s'évanouissaient. On se rendit compte que la communauté allait survivre. Monseigneur Bourget chargea monsieur Berthelet de trouver un terrain favorable.

Sur ces entrefaites, on mit à l'enchère un emplacement situé entre les rues Dorchester et Lagauchetière et bordé du côté est par la rue Campeau ou Saint-André. Deux maisons s'élevaient à cet endroit : l'une, couverte de briques et l'autre de bois. Monsieur Berthelet se porta acquéreur, au nom de l'évêque, du terrain et des bâtisses, pour la somme de deux mille cinq cents dollars.

Aussitôt, la supérieure fit aménager deux bâtiments pour y recevoir la communauté. Les travaux furent lents et se prolongèrent jusqu'en novembre. Aux premiers jours de décembre s'effectua le déplacement et on dut supporter l'humidité des plâtres et des enduits. Les religieuses logèrent dans la maison de brique et les protégées occupèrent la maison grise. La supérieure souhaitait une construction plus solide qui aurait vraiment l'allure d'une maison mère. Elle se mit à l'étude du projet qui méritait une attention spéciale.

Les tracas du déménagement n'empêchèrent pas le travail habituel des Sœurs. En cette année 1851, la Miséricorde accueillit quatre-vingt-dix-sept pensionnaires.

En jetant un coup d'œil sur les années écoulées, Mère Jetté pouvait constater que son œuvre progressait. En moins de six ans, la Miséricorde avait recueilli quatre cent trente-six mères non mariées. Cela supposait une somme imposante de travaux et une dose héroïque de dévouement.

On goûtait, par ailleurs, la joie de compter trois cent quatre-vingt-dix enfants vivants et baptisés. Cette tâche retombait évidemment sur les Sœurs Grises, qui s'occupaient de la crèche et de l'orphelinat. Mais le rôle de la Miséricorde s'insérait au carrefour de la vie et de la mort. Sauver les enfants conçus d'un avortement meurtrier exigeait beaucoup d'audace et de doigté. Pourtant cet étrange apostolat avait réussi à s'implanter et promettait de survivre.

Mère Jetté méditait souvent son nom de religieuse : Sœur de la Nativité. N'était-ce pas tout un programme de doctrine et d'action ? La nativité de Jésus contient tout le mystère de l'Incarnation et la nativité de Marie renferme les dogmes de la maternité divine et de l'Immaculée Conception. Comme elle fut heureuse, la bonne Sœur Jetté, quand le Pape PieIX annonça une année de prières en vue de la proclamation du dogme marial ! Monseigneur Bourget invitait à chaque occasion les Sœurs de Miséricorde à prier en union avec ses intentions. Ses messages étaient lus avec respect et piété, car on le reconnaissait comme le père de l'institut. Sa lettre sur l'Immaculée Vierge Marie était pleine d'onction et les religieuses s'associaient de tout cœur à leur pasteur dans son culte envers la Mère de Dieu.

Durant l'été, la supérieure qui rêvait d'agrandissements prochains, vit tout à coup les flammes menacer sa maison. Le 8 juillet 1852, éclatait le terrible incendie qui réduisit en cendres plus d'un millier de maisons. Le feu fut si violent qu'il dévora un immense quartier tier de la ville. Pendant que les Sœurs de Miséricorde éteignaient sur le toit les brandons poussés par la rafale, la cathédrale flambait comme une torche. À la hâte, on enfouissait dans le jardin les objets les plus nécessaires et on se préparait à quitter la maison de brique, lorsque le vent s'apaisa. Sous la menace du fléau, les familles avaient fui leur logis. Devant les décombres fumants, on n'entendait que pleurs et gémissements. Plus de huit mille personnes se retrouvèrent sans abri et l'évêque lui-même au milieu des sinistrés contemplait les murs béants de son église et de son évêché.

Cette catastrophe resta longtemps marquée dans la mémoire des gens. Au Canada, le feu passait pour une calamité épouvantable. Dans les foyers et dans les communautés, on ajoutait alors aux prières communes une invocation particulière en guise de protection contre ce péril. Ces épreuves accablantes et répétées broyaient le cœur de monseigneur Bourget. Dans la population, on allait jusqu'à répéter que la vertu de l'évêque excitait la rage de l'enfer, qui se déchaînait en ces funestes événements.

Pour la Miséricorde, il n'était plus question de bâtir. Toute la main-d'œuvre disponible fut requise pour relever les maisons détruites. Ce contretemps fut noyé par un apostolat encore plus intense envers les pauvres. L'hiver passa à se dépenser pour les pensionnaires du dedans et à soigner les pauvres malades du dehors.

L'heure allait bientôt venir où l'institut marquerait un nouveau pas dans la voie du progrès.

10

En pleine épidémie de choléra, face à la rue Dorchester, un bâtiment nouveau et vaste se construit.

L'ANNÉE 1853 s'ouvrit par un deuil à la Miséricorde. Nulle mieux que Mère Jetté avait apprécié les mérites de madame Raymond. C'était grâce à elle si l'œuvre confiée par monseigneur Bourget avait pu prendre racine. Cette femme dévouée était entrée dans la vie religieuse comme en une institution familière. Sous le nom de sœur Jean-Chrysostôme, elle avait développé ses qualités naturelles. La maladie avait ralenti son ardeur, mais n'avait rien diminué de son courage. Humble dans la souffrance, elle continuait à travailler de ses mains, puis le mal la retenait alitée. Sœur assistante la visitait chaque jour à l'infirmerie et les deux religieuses admiraient la Providence qui les avait appelées à une fondation aussi bienfaisante. Sœur St-Jean-Chrysostôme mourut dans des sentiments de foi et d'amour. Elle était la première sœur de Miséricorde à ouvrir sur terre la page des décès et dans le ciel la liste des élues.

Mère Jetté ressentit profondément la perte de sa compagne. Elle se fit encore plus effacée et plus priante. Elle venait d'atteindre ses cinquante-neuf ans et le poids des ans appesantissait sa démarche. Cependant, quand il s'agissait de veiller une jeune protégée, elle retrouvait ses ailes et les fatigues lui paraissaient légères. Besogneuse à l'intérieur de la maison, elle s'intériorisait de plus en plus au point de vue spirituel. Elle avait eu son heure de responsabilité sur l'institut naissant, elle goûtait les joies de l'obéissance et du service dans la charité.

Au printemps, la supérieure fit commencer la construction d'un édifice solide et spacieux. Sur une longueur de soixante-cinq pieds, la future maison-mère s'étendait aussi sur une largeur de cinquante-cinq pieds. Face à la rue Dorchester, elle offrait des salles plus vastes et des pièces plus commodes pour la communauté.

Monseigneur Joseph Larocque, qui était supérieur ecclésiastique des Sœurs de Miséricorde, venait d'accéder au poste d'évêque coadjuteur de Montréal. Il fut remplacé auprès des religieuses par le vicaire général Truteau. Cette charge se résumait en un rôle de protecteur ou d'intermédiaire entre l'évêque et la communauté. En réalité, le chanoine Pilon exerçait une influence beaucoup plus précise sur la formation des religieuses et la direction générale de l'institut. Cependant, monsieur l'abbé Truteau affectionnait l'œuvre de Mère Jetté. Quand un visiteur passait à l'évêché, il en profitait pour lui présenter une maison bien pauvre, mais heureuse d'accueillir des cœurs brisés par les amours humaines. Il était fier de ces religieuses et montrait leur héroïsme à qui voulait trouver à Montréal un sujet d'édification. Le nonce du Brésil fut touché de sa visite et plusieurs autres à sa suite.

Durant l'été 1853, Mère Jetté eut encore à consoler sa chère fille, madame Thomas. Son fils, Pierre, était l'aîné de tous les petits-enfants de grand-mère Rosalie. Il mourut à l'âge de dix-neuf ans et sa mère, déjà veuve, supporta péniblement la perte de ce grand garçon. Les épreuves familiales chez les enfants Jetté furent adoucies par la prière de Mère Rosalie. Par sa vocation exceptionnelle, elle enseigne à ses propres enfants la grandeur du dévouement et du détachement. Quand l'amour humain est impuissant à comprendre une misère, il ne reste plus qu'à se perdre dans l'amour incompréhensible de Dieu. Ce message, elle le révéla non seulement aux siens, mais à tous ceux qui s'approchèrent de sa charité.

Les travaux de construction avancèrent lentement durant l'hiver. En janvier 1854, une novice, du nom d'Exilda Pion, fit profession sous le vocable de sœur Sainte-Agnès. La petite communauté se recrutait péniblement. Mais le groupe des professes formait une équipe convaincue et animée d'un zèle inaltérable.

Le zèle de monseigneur Bourget embrassait toutes les formes d'apostolat. Ecrasé par les épreuves matérielles, il se relevait toujours dans le spirituel. Il entreprit une double campagne en vue de convertir les protestants de la ville et de promouvoir la vertu de tempérance. Les Sœurs de Miséricorde se mirent aussitôt en prière pour soutenir le pasteur et les prédicateurs du mouvement. L'évêque entretenait ainsi dans les communautés de son diocèse un esprit apostolique qui dépassait les murs du cloître. Il ne tenait pas à ce que ses religieuses se limitent à leur propre champ d'action, il il désirait voir leur zèle embrasser le vaste domaine de l'Eglise.

Pendant que le chantier de la future maison battait son plein, le choléra se déchaîna dans toute sa violence. Mal contrôlé durant les années précédentes, il sema une véritable panique parmi la population. La rafale de l'épidémie emporta rapidement douze cents personnes. Cette trouée béante parmi les vivants laissait les foyers dans la désolation et le deuil.

L'épidémie ralentit beaucoup le travail des plâtriers et des menuisiers. Enfin, au mois d'octobre 1854, les sœurs de Miséricorde firent leur entrée dans leurs nouveaux locaux. La joie d'habiter une maison neuve leur fit oublier l'humidité qui suintait des murs encore frais. On admirait les salles plus larges et les pièces plus commodes. Mère de la Nativité était heureuse du nouvel élan des religieuses et du succès de la supérieure.

Depuis le grenier de la rue Saint-Simon, la Providence avait veillé sur l'œuvre confiée. Celle-ci pouvait maintenant s'afficher au grand jour. Quand monseigneur Bourget demandait à madame Jetté de se consacrer au relèvement des filles mères, il songeait à une communauté permanente de femmes qui auraient un cœur semblable à celui de cette veuve. Comme une mère, madame Rosalie porta dans son cœur tout l'idéal de son évêque. Mère Sainte-Jeanne de Chantal donna ensuite forme et façade à cet idéal. L'édifice spirituel de la Miséricorde se dressait maintenant au milieu de la cité. L'institut vivrait aussi longtemps que le problème de la mère non mariée subsisterait.

Heureux du progrès de sa communauté, monseigneur Bourget partit pour Rome. Il s'en allait assister à la proclamation du dogme de l'Immaculée Conception. Les Sœurs de Miséricorde se félicitaient de cette coïncidence. La sainte Vierge recevait un nouvel hommage de l'Eglise universelle et tous les catholiques se réjouissaient avec le pape Pix IX. À la Miséricorde, on associa la reconnaissance aux remerciements, car la Mère des miséricordes avait visiblement protégé son institut.

Les deux autres maisons ne furent pas abandonnées. Les filles protégées occupèrent la maison de brique et on aménagea la maison grise pour recevoir des dames pensionnaires. Âgées ou convalescentes, ces personnes apportèrent l'avantage d'un petit revenu pour la communauté. Les travaux de couture contribuèrent également à rogner les dettes de la construction. C'est dire que la maisonnée prenait l'aspect d'une ruche bourdonnante.

À la profession de janvier 1855, la cérémonie fut grandiose et touchante. Monseigneur Joseph Larocque reçut les vœux de Rosalie Diotte et de Tharsile Bisson, qui prirent les noms de sœurs Saint-Louis-de-Gonzague et de Marie-du-Crucifix. En même temps, l'abbé Joseph Bayard accédait à la prêtrise et quelques clercs aux ordres majeurs. La chapelle de la Miséricorde n'avait jamais connu de cérémonie aussi éclatante. Le coadjuteur et le chapelain avaient profité de la circonstance pour intéresser clergé et laïcat à l'œuvre de la Miséricorde.

11

L'évêque de Montréal déclare que Sœur de la Nativité doit être reconnue comme la fondatrice des Sœurs de Miséricorde.

Au printemps, il revenait à l'évêque fondateur de bénir officiellement le monastère et la chapelle. Monseigneur Bourget parcourut les quatre étages de l'édifice et il fut heureux de constater les progrès concrets de la petite communauté. La chapelle était assez vaste pour recevoir des laïques le dimanche ou les jours de fête. Pour appeler les fidèles, une cloche fut bénite en la même occasion; elle reçut le surnom de Marie-Louise selon le désir de ses parrains, monsieur Fullum et madame Hurteau.

L'année s'écoula, sereine et laborieuse. Le bienfait de l'espace accommodait religieuses et pensionnaires. La vie spirituelle gagna en intensité et le travail s'accomplissait dans une atmosphère de charité dilatée. Mère Jetté besognait en silence au milieu de ses sœurs. Pour les mères célibataires, elle avait une tendresse si maternelle qu'elle semblait les aimer toutes, comme ses propres enfants. Ses heures de prière se prolongeaient, non plus en demandes de secours, mais en hymnes de reconnaissance. À mesure que son visage se ridait, ses traits devenaient plus suaves ; quant à son cœur, il compatissait à toutes les souffrances, tandis que son âme puisait en Dieu une joie robuste et pacifiante.

Au dehors, la ville se relevait de ses ruines et de ses épidémies. Un certain éveil dans le commerce et l'industrie se manifestait. La période des luttes politiques s'était éteinte dans un effort commun vers le progrès économique. La vapeur avait fait son apparition, transformant les navires et rapprochant les distances. Attirés par l'industrie américaine, un grand nombre de jeunes gens partaient s'engager dans les usines. L'aîné Jean-Marie et le benjamin Léonard avaient suivi ce courant de prospérité et vivaient aux Etats-Unis. Les nouvelles étaient rares, mais les liens de la famille demeuraient vivants : le souvenir d'une grand-maman, fondatrice de communauté, se perpétua chez les petits-enfants lointains.

La profession de 1856 ne compta qu'une religieuse de plus. C'était Françoise Racette qui prenait le nom de sœur Saint-Jean-Baptiste. Le recrutement à la Miséricorde était difficile car les préjugés sont tenaces. L'admiration peut grandir, mais elle demeure souvent lointaine. Cependant, le noviciat offrit plus d'attrait dans la nouvelle maison mère. La communauté semblait sortir de terre et les postulantes s'approchèrent moins craintives et moins isolées.

Pour les besoins de la maternité, la ville concéda à la Miséricorde une bâtisse délabrée, face à la maison de brique sur la rue Saint-André. Après les traces de l'aménagement, les protégées malades ou qui allaient accoucher purent recevoir des soins appropriés à leur état. Durant le jour, la rue était calme, mais le soir venu, les gens malveillants organisaient des charivaris, où les cris indécents étaient scandés par des tintamarres ahurissants. Quand les pensionnaires se rendaient aux offices, la traversée de la rue s'accompagnait de regards et de paroles injurieuses.

Le confesseur des filles fut à cette époque monsieur Villeneuve, un sulpicien français. Ce pauvre prêtre avait en horreur cette maison de la corporation. Au début, il y venait à contre cœur, mais il comprit bientôt les bienfaits de cette œuvre et s'attacha à ses pénitentes d'une façon très paternelle. Il découvrait au milieu de ces mères célibataires des trésors de générosité. Grâce à sa direction judicieuse, plusieurs protégées décidaient de se retirer du monde. C'est ainsi qu'il organisa les cadres de la congrégation des Madeleines.

La retraite de janvier 1857 fut prêchée par un religieux de la congrégation des Oblats de Marie-Immaculée. Le père Lagier, qui estimait les œuvres de monseigneur Bourget, fut heureux de voir cinq novices prononcer leurs vœux de professe. Les demoiselles Victoire Lefebvre, Flore Bertrand, Aurélie Delorme, Marie Perras et Marie-Anne Church prirent les noms de Sœurs Marie-de-l'Immaculée-Conception, Marie-des-Saints-Anges, Marie-de-la-Visitation, Marie-de-la-Miséricorde et de Saint-Patrice.

L'année suivante amena la profession de quatre autres religieuses. Mesdemoiselles Angélique Boudreau, Henriette Bibeau, Cléophée Gaulin et Domitilde Filiatrault furent désormais connues sous les noms de Sœurs Sainte-Philomène, Saint-François-Xavier, Saint-Venant et Sainte-Thérès-de-Jésus. Ces additions répétées élevèrent le nombre des professes à vingt-trois religieuses. Ce chiffre indiquait clairement une volonté de survivre. D'ailleurs, l'accroissement du travail allait de pair, car on avait reçu cent trente protégées durant une seule année. La Providence voyait donc à ce que les vocations répondent au besoin de l'œuvre.

Mère Jetté se réjouissait des progrès visibles de la communauté. À toutes les jeunes sœurs, elle aurait voulu donner tout le fruit de son expérience et la chaleur de son cœur élargi. Elle les aimait ces personnes généreuses et elle admirait en elles la grâce d'une vocation qui les engageait dès leur jeunesse au service du Seigneur.

De temps à autre, Mère Jetté recevait la visite de ses enfants et petits-enfants. Madame Thomas principalement fréquentait la maison-mère. La supérieure, qui était également veuve, mais sans enfant, ne voyait pas toujours d'un bon œil, ces rencontres parfois bruyantes au parloir. Pour ces garçonnets ou ces fillettes, la so&BU7éeur de la Nativité demeurait grand-mère Rosalie. Elle ne devait pas rejeter la famille que Dieu lui avait donnée. Elle se faisait alors plus humble et s'efforçait d'inculquer à ses enfants et petits-enfants les principes d'une éducation chrétienne.

Au mois d'avril, son fils François vint présenter sa fille Hedwige et son jeune mari Louis Lemieux. Mère Jetté fut heureuse de voir les nouveaux époux lui offrir leurs hommages et lui demander sa bénédiction. Elle rappela à François les années passées au sein du foyer et le félicita de bien élever ses enfants. Celui-ci lui déclara son désir de perpétuer les exemples qu'elle avait donnés si généreusement. Il était fier d'avoir conduit jusqu'au mariage une Hedwige que maman Rosalie avait eu la douleur de perdre à trois reprises.

Devant le développement réel et prometteur des Sœurs de Miséricorde, monseigneur Bourget entreprit une visite canonique de l'institut. Il prit le temps de recevoir chaque religieuse et de s'assurer lui-même de sa vocation. Il révisa les règles et les coutumes de la communauté. Il réchauffa le zèle attiédi et stimula la charité fraternelle. Il insista même sur les détails précis du silence, de l'oraison et de l'abnégation. Pour mieux comprendre l'apostolat qu'il exigeait de sa communauté, il reçut les confidences de toutes les jeunes protégées. La condescendance de l'évêque toucha les cœurs les plus endurcis et les plus solitaires. Enfin, il voulut traiter les Sœurs de Miséricorde comme un institut réellement constitué, après avoir pris connaissance de l'état des esprits et des affaires de la maison.

Pour raffermir l'autorité, l'évêque fondateur procéda à de nouvelles élections, selon le mode en usage dans les autres communautés. Mère Sainte-Jeanne-de-Chantal fut confirmée dans ses fonctions de supérieure générale et Mère de la Nativité eut le titre de conseillère. Depuis dix ans, la supérieure avait gouverné avec fermeté. Ses talents et ses biens personnels furent d'un grand secours pour la communauté. Pour les gens du dehors, Mère Sainte-Jeanne-de-Chantal passait pour la fondatrice de l'œuvre et bien des novices partageaient cette opinion. Monseigneur profita de son passage pour préciser les origines de l'institut.

Mère de la Nativité savait taire le rôle qu'elle avait joué dans la fondation des Sœurs de Miséricorde. À ses yeux, elle n'avait fait qu'obéir à son évêque et Dieu avait accompli tout le reste. Elle estimait la supérieure et admirait l'audace de ses décisions. Trop heureuse d'être oubliée, elle se considérait comme un instrument inutile et elle gardait en son cœur comme Marie le souvenir des grandes choses que Dieu peut opérer par des mains humaines. Elle fut bien surprise de l'hommage que lui rendit alors monseigneur Bourget.

En effet, l'évêque de Montréal déclara devant toutes les religieuses rassemblées, que Sœur de la Nativité devait être reconnue comme la fondatrice des Sœurs de Miséricorde. Par conséquent, ses compagnes devaient lui donner le nom de Mère et lui accorder le premier rang après la supérieure. En respectant l'ordre de sa profession, le numéro un revenait uniquement à Mère Jetté. Par respect pour la supérieure, la coutume était répandue de lui attribuer ce rang initial. Parmi les jeunes sœurs, on admira davantage l'humilité de la vaillante fondatrice. On prit l'habitude d'aller la questionner sur ses années d'apostolat personnel. Les novices comprirent à son contact que l'amour du prochain doit entraîner toute vocation au service de Dieu.

12

«J'ai demandé à Dieu de m'accorder ici-bas la souffrance et de m'épargner le purgatoire. Il m'a exaucée; que son Saint Nom soit béni!»

Dès l'âge de soixante-quatre ans, Mère Jetté commença à ressentir les douleurs d'une maladie qui allait l'accompagner jusqu'à la mort. Elle dut réduire son activité, mais elle en profita pour augmenter sa prière.

Le coadjuteur, monseigneur Larocque, vint prêcher la retraite de janvier 1859. Il reçut les vœux de sœur Saint-Stanislas-Kostka qui était connue auparavant sous son véritable nom de Dorimène Auclair. Cependant, les consolations de la retraite furent attristées par l'épreuve qui venait d'assaillir le bien-aimé pasteur. Pour une seconde fois, le feu avait rasé la cathédrale. On se disait partout: «S'il est vrai que Dieu éprouve ceux qu'Il aime, comme le Seigneur doit chérir notre évêque!» À la suite de ce désastre, monseigneur Bourget résolut de bâtir la prochaine cathédrale dans la partie ouest de la rue Dorchester.

Malgré ses préoccupations multiples, l'évêque venait à la Miséricorde attiser la vie spirituelle des religieuses et des protégées. En avril, il présida une cérémonie étrange et émouvante. Certaines mères célibataires manifestaient des dispositions particulières pour la vie religieuse. Monseigneur s'en était rendu compte pendant sa visite pastorale. Quelques-unes avaient reçu la permission de prononcer des vœux annuels et de porter une robe de bure. Elles se chargeaient du ménage de la maison; leurs journées se partageaient en travaux manuels et en exercices de piété. Monseigneur dressa un programme plus approprié et établit des règles adaptées à leur état. Ce jour-là, l'évêque reçut les vœux de sept premières Madeleines. Sous la direction des Sœurs de Miséricorde, elles serviraient la même cause dans des tâches différentes et dans un esprit similaire. On leur donnait des noms très simples, comme Madeleine, Aglaé, Thaïs, Pélagie, Zoé, Marguerite, etc. Monseigneur lui-même veillait à leur instruction spirituelle par des catéchismes et conférences hebdomadaires. Quand il s'agissait de la formation spirituelle, l'évêque n'hésitait pas à délaisser ses occupations absorbantes. Comme un véritable apôtre, il tablait sur les valeurs surnaturelles, sachant que Dieu pourvoirait au reste.

Mère Sainte-Jeanne-de-Chantal, pour sa part, poursuivait l'avancement de la communauté. Les projets de construction passèrent vite du papier au chantier. Pour accumuler les fonds nécessaires, les Sœurs parcoururent certaines paroisses. Mais les aumônes n'étaient guère élevées, car les œuvres de charité étaient nombreuses et la population rurale préférait payer en nature, même la dîme. La générosité de monsieur Berthelet vint affirmer les espérances les plus audacieuses. Le courageux bienfaiteur décida de payer tous les frais des bâtiments projetés. L'offre était tellement magnifique qu'elle excitait une admiration et une reconnaissance indicibles.

Face à la rue Dorchester, on se mit à construire un édifice semblable à celui de 1854. Une chapelle de cinquante-cinq pieds de longueur sur quarante-deux de largeur allait réunir les deux maisons. L'ensemble formerait un bloc imposant et durable. Les travaux se prolongèrent jusqu'à l'hiver pour reprendre le printemps suivant.

Pendant ce temps, la besogne continuait son rythme dévorant. Les protégées augmentaient en nombre et les inconvénients des maisons séparées pesaient plus lourdement, à mesure que la maçonnerie élevait ses murs neufs. Au mois d'août, Aurélie Baron devint la vingt-cinquième professe de la maison et prit le nom de sœur Sainte-Anne. Au printemps suivant, ce fut au tour de Philomène Chapeleau et de Edesse Dufresne à prendre les noms de Sœurs Sainte-Catherine-de-Sienne et Sainte-Rose-de-Lima.

À la fin de juin 1860, l'évêque fondateur vint bénir la chapelle et l'aile jumelle de la maison mère. Les nombreux assistants purent constater les progrès immenses des Sœurs de Miséricorde. La masse imposante des édifices proclamait la ferme volonté de survivre. La population, délaissant ses préjugés, respectait grandement l'œuvre difficile et bienfaisante de la Miséricorde.

Durant l'été, Montréal reçut la visite du prince de Galles qui venait inaugurer le premier pont traversant le fleuve. Les progrès des chemins de fer exigeaient ces travaux pour relier la ville insulaire à la rive opposée. Surnommé Victoria, en l'honneur de la Reine, le pont était assez fort et assez large pour supporter les trains de marchandises et les véhicules variés des voyageurs. La cité, qui comptait 85,000 habitants, traversait une période de transformations qui allaient lui donner un nouveau visage.

Les Sœurs de Miséricorde entraient donc, elles aussi, dans le mouvement progressif du siècle. Mère Sainte-Jeanne-de-Chantal possédait l'esprit de son temps et voulut asseoir son œuvre sur des bases solides. C'est le douze octobre seulement qu'eut lieu l'occupation de la nouvelle demeure. Monsieur Berthelet aida lui-même au transport des meubles et introduisit les protégées dans leurs locaux. La somme des travaux de construction s'était élevée à quinze mille dollars ; le magnanime bienfaiteur, qui assurait un gîte à la misère morale, n'avait pas craint de s'approcher de l'œuvre pour mieux en comprendre le mobile et la nécessité.

À la fin de novembre mourut le chanoine Pilon. Cet aumônier à la santé fragile s'était dépensé durant treize ans pour former une communauté religieuse. L'évêque, qui possédait une rare connaissance des hommes et des valeurs spirituelles, lui avait assigné une tâche qu'il jugeait la plus conforme aux intérêts du diocèse. Il s'en était acquitté avec dévouement et à la satisfaction de tous. Les funérailles eurent lieu dans la chapelle neuve et monseigneur Bourget présida la cérémonie. Le corps fut descendu dans le caveau au-dessous du sanctuaire, où le fidèle chapelain continue dans le ciel sa prière de louange, au milieu de celles qu'il entraîna au service de Dieu.

Le chanoine Joseph Paré prit la charge du défunt et celle de supérieur ecclésiastique. En cumulant les deux fonctions, il veillait à la fois au spirituel comme au temporel. À cause de l'apostolat spécial que devaient exercer les Sœurs de Miséricorde, monseigneur Bourget leur apportait une attention plus particulière. On est surpris parfois de voir l'évêque entrer dans des détails minimes. Par exemple, il s'intéresse aux offices religieux et enseigne lui-même le plain-chant aux religieuses. Il recommande le pèlerinage annuel à la bonne sainte Anne, il informe les Sœurs de ses campagnes apostoliques et compte sur la prière de leurs protégées pour soutenir ses œuvres. Dans ses lettres, il insiste sur la sanctification par le devoir d'état; il revient souvent sur la piété mariale et tient sa communauté au courant de la vie de l'Eglise.

De son côté, Mère Jetté admirait la sollicitude de l'évêque envers son institut. Elle était confuse de tant de considération et croyait à tant de dévouement, uniquement à cause de la faiblesse de ses religieuses. Avec l'année 1861, la fondatrice atteignait l'âge de soixante-sept ans. Elle était déjà entrée dans la période de souffrances, qui allaient miner ses forces jusqu'à la fin. Aux humains, il reste toujours une chose difficile à apprendre : c'est de souffrir avec joie. Mère de la Nativité laisserait ainsi ce dernier exemple d'enracinement dans le Christ Jésus.

À la chapelle, elle passait de longs moments à prier; elle avait l'impression de rencontrer toutes ses Sœurs devant le Saint-Sacrement et les confiait à la divine Providence. En février, deux religieuses firent profession : Célina Pion et Esther Desjardins reçurent les noms de Sœurs Sainte-Euphrasie et de Sainte-Véronique-du-Crucifix. La moindre cérémonie prenait aux yeux de

Mère Jetté une importance vitale. Elle avait découvert la richesse des valeurs spirituelles et elle y puisait avec avidité. Mais elle fut bien peinée de voir ses jambes lui refuser leur concours pour visiter à son aise le Dieu eucharistique.

En effet, la maladie s'attaqua d'abord aux membres inférieurs. Les pieds enflaient et les jambes s'appesantissaient. Peu à peu, l'hydropisie répandit sa lourdeur, paralysant les muscles, d'une manière lancinante. Mère de la Nativité regrettait son inaction, mais elle conservait une figure si douce et si bienvaillante qu'elle semblait sourire à la souffrance. Elle suivait tous les petits événements de la communauté et remerciait le Seigneur en toute occasion.

Dans sa quasi-retraite, Mère de la Nativité vivait en profondeur sa vie de communauté. La profession de février 1862 n'ajoutait qu'une seule religieuse, en la personne de Célina Piette-Trempe, qui prit le nom de Sœur Saint-Olivier. Cependant, au mois de septembre, Clémentine Touzin, Mathilde Gaboriau et Marie-Julie Hudon s'ajoutèrent aux professes, sous les noms de Sœurs Sainte-Amélie, Marie-de-l'Enfant-Jésus et Sainte-Elisabeth. Mère Jetté se réjouissait de ces recrues jeunes et ardentes. Le divin moissonneur savait où quérir les ouvriers pour son champ. Le travail était difficile, mais le Maître qui appelle possède un attrait irrésistible. Comme elle avait raison de se fier à l'amour de Dieu !

Le 27 mai 1863, monseigneur Bourget vint présider l'élection d'un nouveau conseil. Avec bonté, il fit remarquer aux religieuses qu'on ne devait pas retenir trop longtemps dans une même fonction la même professe.

Pour cette raison, on choisit Mère Saint-Joseph comme supérieure, Mère Sainte-Jeanne-de-Chantal pouvait encore seconder sa remplaçante par sa charge d'assistante. Durant quinze ans, Mère Sainte-Jeanne-de-Chantal avait gouverné la petite équipe des Sœurs de Miséricorde. Elle n'avait pas hésité à prendre les décisions les plus énergiques et à entreprendre les déplacements successifs en vue du progrès de l'œuvre qu'elle dirigeait. Évidemment, la supérieure n'était pas la seule à exécuter tous les travaux. Elle comptait sur le dévouement de chaque compagne, qui donnait d'elle-même jusqu'à la limite de ses forces. La supérieure fut-elle trop exigeante pour ses inférieures? Il est possible que son énergie ait entraîné des santés plus délicates à certains abus, mais les excès de générosité personnelle n'étaient pas causés par la sévérité de l'autorité. Elle possédait un sens pratique très aigu et elle dirigea la petite communauté de façon à lui assurer une base solide et les cadres nécessaires à son développement.

Mère de la Nativité appréciait les grands mérites de Mère Sainte-Jeanne-de-Chantal. Elle connaissait son aptitude pour la gestion des affaires et louait en toutes occasions l'ampleur et la commodité de la maison mère. Elle avait toujours considéré sa supérieure, comme une personne respectable et lui avait apporté le concours de son obéissance et de ses aptitudes.

Cependant, la maladie ankylosait de plus en plus les membres. Tissant sa toile comme une araignée, elle ligotait lentement sa victime sur son lit de douleur. Une toux persistante collait à la poitrine, étouffant la respiration, suffoquant la gorge. Elle disait volontiers à celles qui la plaignaient: «J'ai demandé à Dieu de m'accorder ici-bas la souffrance et de m'épargner le purgatoire. Il m'a exaucée ; que son Saint Nom soit béni ! »

Dans les accès d'intense douleur, elle murmurait des invocations, comme : « Mon Sauveur, ayez pitié de moi ! Ô mon Jésus, acceptez tout ! » L'infirmière était toujours édifiée de ses paroles et de son attitude. Elle regrettait d'être un fardeau pour la communauté. Elle passait des heures à méditer la passion du Christ ou le chemin de la croix. Son esprit de foi était tel, qu'elle assumait en silence le rôle de fondatrice qui trempe dans la souffrance les assises de toute entreprise apostolique.

À cause de la pauvreté de la maison, elle devait se priver des aliments recommandés par le médecin. Quand l'infirmière regrettait de ne pouvoir offrir ce qui lui était prescrit, elle la consolait en disant que « Notre-Seigneur n'a pas toujours eu le nécessaire. » L'éloignement de la chapelle l'empêchait d'assister à la messe et aux autres offices. Cette privation blessait son cœur et elle recommandait à ses compagnes d'apprécier une communion de plus, comme un trésor acquis pour le ciel.

On avait coutume, dans la communauté, de fêter la patronne de chaque religieuse, d'une façon discrète et délicate. Pour Mère de la Nativité, on avait choisi le 8 septembre où la liturgie rappelle la naissance de Marie. Elle accueillait, en ce jour, les souhaits de ses compagnes et leur recommandait aussitôt d'aimer la sainte Vierge et de la prier avec confiance. Durant sa maladie, le chapelet ne quittait pas ses mains et elle égrenait les Ave avec une douce patience, comme si elle souriait à Notre-Dame.

Mère de la Nativité recevait parfois la visite de ses

enfants. Madame Thomas surtout fréquentait souvent cette maison mère. Les jumeaux s'étaient mariés l'un après l'autre et Mère Jetté voyait naître la troisième génération. Dieu bénissait sa famille et sa communauté ; elle ne pouvait que Le louer de tant de bienfaits. Dans le foyer de ses enfants, on conservait vivace le souvenir d'une grand-mère exceptionnelle qui avait quitté les siens pour secourir de plus misérables et tracer largement la voie à tous ceux qui cherchent un sens à la vie.

Dans son lit ou sa chaise berçante, elle accueillait avec plaisir les novices et postulantes qui venaient lui faire la lecture. Elle en profitait pour les féliciter de leur vocation et elle admirait ces jeunes filles avec tellement de sincérité que celles-ci se sentaient gênées et bouleversées devant pareille tendresse. La seule forme d'apostolat qui lui était possible, elle l'exerçait avec une générosité héroïque. Résignée et courageuse dans la maladie, elle donnait l'exemple d'un détachement terrestre qui s'enfonce plus avant dans le cœur de Dieu.

Une cérémonie fort touchante eut lieu dans la chapelle, durant le mois de juillet. Ce fut un baptême d'adultes. Cinq protégées, issues de familles protestantes récemment immigrées au pays, éprouvèrent le besoin d'une foi plus sensible. L'apostolat de la Miséricorde ouvrit leur cœur et elles furent instruites de notre religion. Le jour de leur baptême solennel venait prouver, une fois de plus, l'efficacité de l'œuvre fondée si péniblement. Mère Jetté fut heureuse de ces conversions et elle profita de cet événement pour encourager ses Sœurs à persévérer dans une bonté maternelle et dévouée.

En février 1864, monseigneur Bourget entreprit la

visite pastorale de la maison après la retraite qu'il prêcha lui-même aux professes, puis aux novices. Les bienfaits de ce passage furent nombreux et chaque religieuse avait le privilège de s'entretenir avec l'évêque fondateur. Les protégées elles-mêmes purent apprécier la bonté de Sa Grandeur qui se penchait avec bienveillance sur leur misère.

Durant sa visite, monseigneur Bourget reçut la profession de Sœur Sainte-Angèle-Mérici, qui se nommait Sophronie Bibeau. Il se rendit au chevet de la fondatrice malade. Il admira son courage et lui adressa des paroles consolantes, lui rappelant tout le chemin parcouru depuis le grenier de la rue Saint-Simon jusqu'à la solide maison mère. N'était-ce pas l'image de ses mérites croissants? L'évêque n'hésita pas à exprimer aux religieuses réunies l'estime qu'il professait envers la malade. «Les épreuves morales qu'elle traverse, dit-il, auraient abattu une vertu moins solide que celle de votre Mère.»

Les charges ecclésiastiques furent alors mieux partagées. L'abbé Huberdault fut nommé aumônier et le chanoine Hicks supérieur. Tous deux s'attaquèrent immédiatement à la refonte des constitutions, en vue de l'approbation romaine. On profiterait du prochain voyage au Vatican de l'évêque de Montréal pour présenter cette requête si honorable pour une communauté religieuse.

En février, la population rendit un hommage public au grand patriote, Louis-Hippolyte Lafontaine. Les funérailles de l'homme d'État furent solennelles et la foule se pressait devant le défilé. Aux heures sombres de 1840, le légiste Lafontaine avait su éviter les pièges du régime de l'Union et orienter la politique vers le respect des droits légitimes du Canada français.

Aux premiers jours du printemps, Mère de la Nativité sentit son mal l'envahir progressivement. La toux engendra une bronchite aiguë. Les médecins se virent bientôt réduits à l'impuissance, car la faiblesse de la malade était trop grande pour soutenir une cure prolongée. L'infirmière se désolait de voir la pauvre Mère perdre l'appétit qui pouvait refaire les énergies. Enfin, on sentait que la maladie emporterait bientôt la Mère fondatrice.

Monsieur le chanoine Hicks, venu la visiter, lui demanda s'il n'était pas angoissant de mourir. La bonne religieuse répondit: «Oh! non, car j'ai affaire à un Dieu de miséricorde!» Une personne de si grande foi se voit rarement. Monseigneur Bourget suivait les progrès de la maladie et s'offrit à lui administrer lui-même les derniers sacrements. Elle les reçut avec une piété profonde et elle se confondait en remerciements envers son évêque. Puis, elle le supplia comme s'il était maître de la vie: «Monseigneur, je suis inutile à la communauté; laissez-moi quitter cette terre d'exil.»

Une certaine accalmie succéda à la crise menaçante, laissant la malade épuisée sous les assauts du mal. Un mois plus tard, les symptômes reparurent, balayant tous les espoirs. Mère de la Nativité voulut dire adieu à ses Sœurs. Celles-ci se réunirent autour de son lit et elle leur demanda pardon des peines qu'elle leur avait causées. «Je vous conjure, leur dit-elle, pour l'amour de Dieu, d'observer strictement la règle de cette maison et de ne pas prendre pour modèle cette indigne servante, qui va vous quitter pour paraître devant le souverain Juge.» Elle ajouta ce souhait réconfortant : «J'emporte la douce espérance de vous revoir toutes au ciel!» Elle se recommanda aux prières de chacune et traça le signe de bénédiction sur ses Sœurs agenouillées.

Monseigneur Bourget accourut une dernière fois pour réconforter la malade. «Vous pouvez mourir maintenant, ma chère fille, lui dit-il, pour aller recevoir la couronne que Dieu vous a préparée, en récompense des travaux et des sacrifices que vous avez entrepris pour sa gloire. Du haut du ciel, veillez sur votre évêque et que Dieu l'attire bientôt à Lui.» Délicatement, la mourante répondit : «Je n'en ferai rien, Monseigneur, car vous êtes encore nécessaire et quand Dieu vous appellera, il sera assez tôt.»

Cette conversation toute céleste fut interrompue par une respiration haletante. C'était la nuit. L'agonie n'écartait pas la prière de son esprit et la mourante suivait les prières des veilleuses. Après son apparent sommeil, Mère de la Nativité traça un large signe de croix et ouvrit les yeux pour demander les litanies de la sainte Vierge. Elle souriait encore aux louanges de Marie, puis elle murmura fermement : «Ô mon Jésus.» La tête s'inclina et elle rendit le dernier soupir. On était aux premières heures du mardi 5 avril 1864. Mère de la Nativité était âgée de soixante-dix ans et deux mois.

13

On dit que, la nuit de la mort
de Mère de la Nativité...

Durant la nuit où mourut Mère de la Nativité on raconte à la Miséricorde que les protégées qui dormaient à l'infirmerie furent éveillées par les pas et la lampe d'une religieuse âgée dont elles n'avaient jamais vu la figure. Comme une infirmière maternelle, elle fit le tour des lits et s'arrêta auprès de celle qui était dangereusement malade, pour lui annoncer sa guérison prochaine. Puis elle disparut par une porte différente de l'entrée habituelle. Le lendemain, les protégées reconnurent dans la défunte les traits de la visiteuse nocturne et la jeune malade recouvrit la santé.

Pour les funérailles, la chapelle fut trop étroite pour contenir l'assistance. Les communautés religieuses se firent représenter par des délégués et les membres du clergé remplissaient le sanctuaire. Monseigneur Bourget présida la cérémonie et prononça un éloge funèbre. Le pieux évêque rappela les origines difficiles de la Miséricorde et insista sur la charité intense et le courage de la fondatrice. Puis il s'étendit sur la vie cachée et méritoire de la religieuse. Toute l'assemblée comprit que Mère Jetté laissait un exemple comparable à la femme forte de l'Écriture dans la création de son œuvre et un message d'obscure souffrance dans l'enracinement d'une fondation au service de l'Église.

Le corps de la regrettée fondatrice fut descendu dans le caveau de la chapelle. Elle appartenait désormais à la communauté dont elle avait été la pierre d'angle. Au moment de sa mort, les Sœurs de Miséricorde comptaient trente-trois religieuses professes et onze novices. Confiées à l'institut se trouvaient vingt-cinq Madeleines et filles consacrées ou de confiance. Durant près de vingt ans, la Miséricorde avait recueilli environ deux mille trois cents filles mères et un bon nombre d'orphelines. Si l'on ajoute les enfants nés sous son toit, on peut avoir une idée de l'apostolat accompli, grâce à l'influence de Mère Jetté.

Bien que retirée depuis longtemps de la vie active, Mère Jetté demeurait une PRÉSENCE épanouissante ; sa disparition ne pouvait qu'être vivement ressentie. Retirée de la vie active, on regrettait sa présence laborieuse. Cependant, un vide s'installait dans la pensée de chaque religieuse et la mémoire recueillait pieusement une image que chacune cherchait à fixer pour toujours. La supérieure avait accroché à un mur le tableau que l'on avait fait peindre à cette fin. Les religieuses et les visiteurs pouvaient contempler la figure apaisante de la fondatrice. Déjà usée par la maladie, les épaules et le dos s'arrondissaient lentement. Le visage plein, mais un peu enflé par l'hydropisie, exprimait une certaine gêne, propre aux gens humbles, tandis que les yeux alourdis répandaient encore une bonté accueillante et compréhensive.

L'œuvre de Mère Jetté était appelée à un rayonnement qu'elle ne pouvait prévoir, mais l'ardeur de sa charité vivifiait le cœur de ses compagnes. On peut résumer son apostolat par le titre même de son institut : Misé-

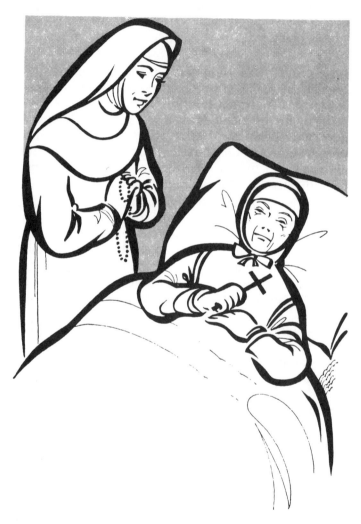

« J'ai demandé à Dieu de m'accorder ici-bas la souffrance et de m'épargner le purgatoire. Que son saint Nom soit béni ! »

ricorde. N'est-ce pas l'attribut de Dieu le plus attachant et le plus révélateur de son amour? À force d'admirer et de pénétrer ce mystère divin, Mère Jetté était devenue compatissante et d'une manière si naturelle qu'elle semblait inlassable. Dans sa logique simple et droite, elle n'oublia jamais le but à atteindre. Si la communauté vivait, c'était pour la réhabilitation des mères célibataires. C'est pourquoi, Mère de la Nativité les entourait d'une charité particulière.

Une des paroles qui la caractérise le mieux est la suivante: «Nous sommes Sœurs de Miséricorde, redisait-elle, surtout pour les plus misérables. Et c'est envers les plus incorrigibles qu'il faut déployer le plus de bonté.» Cette phrase seule est tout un programme et une application concrète de la parabole du Bon Pasteur. Si on refusait une jeune fille qui demandait protection, elle en éprouvait un grand chagrin. Elle affirmait avec assurance: «Nous devrions accepter ces malheureuses enfants; la maison est pour elles. Dieu pourvoira à leurs besoins, même si nous sommes pauvres et privons-nous plutôt, nous-mêmes.»

Mère Jetté, malgré sa timidité, insistait auprès de la maîtresse des novices pour pénétrer les futures religieuses d'une charité profonde et inaltérable envers les mères célibataires. À ses yeux, une Sœur de Miséricorde devait être prête à se dévouer en tout temps et même à mourir pour ses protégées. Elle prévenait les postulantes de ses avertissements persuasifs. «Ne demeurez pas ici, si vous n'aimez pas les filles mères. Il faut prier pour elles et les secourir de toutes les manières. On doit s'ôter le pain de la bouche, s'il est nécessaire, pour le leur donner. Pour nous, nous ne mourrons pas de faim, mais ces pauvres enfants peuvent souffrir. »

La charité de Mère de la Nativité était compatissante. Elle apportait une attention pleine de sollicitude envers les pauvres réfugiées. Elle ne supportait pas que l'on puisse leur faire de la peine, car elles souffraient déjà tellement dans leur état. Elle n'hésitait pas à prendre des expressions évangéliques pour décrire son attachement. «Ce serait me faire de la peine à moi-même, disait-elle, que de leur adresser des reproches, car je les porte dans mon cœur. » Elle exprimait sa vocation à cet apostolat en des termes enthousiastes : «Nos filles mères ne sont pas méchantes. Ce sont les trésors, les joyaux de la maison. Elles sont mon propre cœur. » Elle se disait «prête à recommencer pour leur salut une vie plus laborieuse, si c'était le bon plaisir divin».

Parfois, la légèreté des jeunes pensionnaires mettait les religieuses au bout de leur patience. Mère Jetté les excusait toujours. Le manque d'éducation familiale était souvent manifeste et on ne pouvait redresser, en quelques mois, les caractères difficiles. Un jour, elle expliqua simplement : «Si Dieu les a faites ainsi, ne devons-nous pas les souffrir ? En un instant, nous pouvons devenir plus méchantes qu'elles. » En effet, à celles qui ont manqué d'amour, ne devrait-on pas suppléer par un surcroît d'amour ? Elle les voyait avec chagrin retourner dans des milieux misérables, impropres à la vertu comme au bien-être. Son zèle l'emportait jusqu'à envisager tout le monde pécheur à corriger et toutes les familles à sanctifier. Malgré son ardeur, elle croyait que tous ses efforts étaient bien minimes, en face du mal et de son ampleur. Seul le Christ avait tenté l'aventure et Il en était mort sur la croix. Mère Jetté se réfugiait alors dans le sacrifice rédempteur de Jésus.

Beaucoup de protégées faisaient des mariages heureux et devenaient de bonnes mamans. Comme elle était fière de les revoir et de les féliciter! Pour les nouveau-nés, Mère Jetté aurait voulu parcourir la ville pour inviter les familles à l'adoption de ces petits déshérités, qui réclamaient un papa et une maman. «Celui qui reçoit un de ces petits, c'est moi-même qu'il reçoit», disait Notre-Seigneur. N'était-ce pas là une invitation pressante? «Ces petits seront au ciel la couronne des Sœurs», disait Mère Jetté. Elle répétait la même parole à ceux qui pouvaient se charger d'une fille ou d'une garçon adoptif. Elle ne s'est jamais vantée de ses réussites, mais elle avait un art de convaincre qui était contagieux.

Devant certains regards fuyants ou certaines fredaines, elle se faisait longanime et sereine. Une jeune protégée fut émue des paroles qu'elle lui adressa alors qu'elle aurait mérité des reproches. «Un jour viendra, disait-elle, où tu seras une bonne fille. La faute est peu de chose, en comparaison du bien que tu peux faire à l'avenir. Il y a des saints, qui se sont égarés dans leur jeunesse et moi-même, je commettrais de bien plus grandes fautes, sans la grâce de Dieu.» Les prières et les exemples de la bonne Mère eurent toujours de bons résultats. Une protestante se convertit simplement à cause de la grande bonté de Mère Jetté.

À la rue Saint-Simon ou à la rue Wolfe, le refuge avait encore l'aspect d'un foyer familial. Madame Rosalie vivait, confiante au milieu de ses protégées, comme une mère au milieu de ses filles. Pour leur épargner des efforts, elle se levait plus tôt pour allumer le feu et enlever la neige qui couvrait le sol glacé. Ayant pris au sérieux le rôle que son évêque lui avait assigné, elle modelait sa vie sur la miséricorde infinie de Dieu. À force de pénétrer ce mystère, elle parvenait à en extraire des étincelles merveilleuses de charité. On peut s'imaginer comment elle devait souffrir durant la période de calomnies qui menacèrent de ruiner son œuvre bienfaisante! Il faut beaucoup d'amour pour découvrir le bien. Mère Jetté percevait dans les personnes des richesses que de plus perspicaces ne pouvaient deviner. Si Bossuet parla avec éloquence de la dignité éminente des pauvres et si Vincent de Paul se fit un point d'honneur de les servir, Mère Jetté avait appliqué les mêmes principes pour guider son action.

Dans la communauté, on conserva longtemps le souvenir de ses paroles. Elle ne parlait pas souvent, mais les quelques paroles que l'on citait contenaient une densité, riche de sincérité. Son humilité fut exemplaire et inséparable de son rôle de fondatrice. Ses compagnes purent constater le soin qu'elle apportait dans l'observance de toutes les règles de l'institut, principalement la vertu d'obéissance. Enfin, l'amour de Dieu remplissait sa vie; elle s'en faisait une joie et une consolation. Pour elle, le suprême commandement n'entraînait pas seulement les sentiments, mais il se traduisait en pratique par une poursuite continuelle de la volonté divine, amour incarné jusque dans les actions quotidiennes, où le cœur entretient une conversation perpétuelle avec le divin Maître.

Mère Jetté fut grande dans son effacement, mais elle fut grande surtout par son cœur maternel. Défiant les injures et les mépris, elle s'attacha obstinément à une œuvre extrêmement ardue et la conduisit au succès. Appuyée sur la puissance du Christ qui relève tous les pécheurs, elle afficha au milieu de son siècle un cran et une attitude déconcertante. Elle n'a pas craint de s'approcher de celles que l'on nomme volontiers pécheresses. Contrairement au dédain pharisaïque, elle embrassa les cœurs blessés et goûta des joies que seul le Seigneur miséricordieux peut accorder. Face à la froide incompréhension, elle réchauffa les amours déçues et déploya des horizons plus vastes et consolateurs. Honteuse d'elle-même, la conscience publique s'éveilla à des responsabilités qu'elle tenait étouffées.

Telle fut la mission prodigieuse de Mère Jetté.

ÉPILOGUE

Partout où militent ses religieuses, on connaît mieux la miséricorde divine.

Aprés la mort de Mère de la Nativité, la famille Jetté demanda la permission de faire peindre une copie du tableau que possédaient les Sœurs de Miséricorde. La supérieure accorda la faveur et le portrait de Mère Jetté passa de foyer en foyer, jusqu'à ce que le docteur Laroche s'en porta acquéreur.

Le charitable médecin se glorifiait d'être le petit-fils d'une pareille fondatrice. Tout jeune, il avait vu sa grand-mère, apaisant les angoisses de sa mère après l'incendie de 1852. Plus tard, il avait discerné dans son regard une perspicacité enveloppante et éveilleuse d'idéal. À sa mort, le jeune homme avait juré de vivre une existence en plénitude. Entré dans la profession médicale, il avouait que la vertu doit s'accorder avec la science pour bien soigner les malades. Membre des Forestiers catholiques, le docteur Laroche fut aussi le fondateur de la Cour du Sacré-Cœur, qui groupait de pieux laïques désireux d'honorer le Cœur de Jésus.

Pour être compréhensif, le médecin doit être miséricordieux et c'est pourquoi il demandait en secret la protection de grand-mère Rosalie dans l'exercice de sa profession. Il déclarait en avoir ressenti des effets bienfaisants. Il n'hésitait pas dans des cas pénibles à recourir aux Sœurs de Miséricorde. Il constatait que la misère engendre souvent l'ignorance. Il aurait voulu guérir les esprits comme les corps. La science alors impuissante l'invitait à recourir à des puissances surnaturelles. En ces moments, il se tournait vers le Dieu des miséricordes, demandant, comme tous les enfants confiants, que son interprète soit encore celle qu'il appelait avec tendresse grand-mère Rosalie.

De nos jours, des descendants viennent s'agenouiller devant le tombeau de leur aïeule. À la maison mère de Cartierville, Mère Jetté est toujours la fondatrice bien-aimée. Dans un oratoire du souvenir où reposent ses ossements, toutes les Sœurs de Miséricorde viennent puiser courage et paix dans leur apostolat.

Le public lui-même manifeste son admiration envers l'œuvre et envers la fondatrice. Auprès du tombeau, des familles et des malades viennent implorer l'intercession puissante de Mère Jetté et obtiennent des faveurs signalées. Partout où militent ses religieuses, les chrétiens connaissent mieux la Miséricorde divine dont les bienfaits captivaient le cœur de grand-mère Rosalie.

Dans un contexte social bien différent, cette Congrégation poursuit toujours la même mission. Les Sœurs de Miséricorde sont appelées à vivre la Miséricorde de Jésus Sauveur avec les femmes en situation de maternité hors mariage et leurs enfants et, encore, avec les mères de famille vivant difficilement leur maternité.

Table des matières

Achevé   Imprimerie
d'imprimer Gagné Ltée
au Canada Louiseville

Imprimé au Canada
Printed in Canada